なぜ、沢田研二は許されるのか

POURQUOI PARDONNE-T-ON À JULIE ?

田中 稲

実業之日本社

なぜ、沢田研二は許されるのか【目次】

＊本書で引用した雑誌の出版元につきましては、刊行年当時の出版社名を記載しています。本文中の敬称は略しています。本書の記述は２０２４年４月現在のものです。

はじめに

私は、アイドルが好きだ。そして、そこから見えてくる応援する人たちの喜びや青春が好きである。スターとファンの関係は強い生命力の交歓のように思えるのだ。

今回、私が本書を執筆しようと決めたのも、沢田研二さんの魅力はもちろんだが、ファンの方との信頼関係に強く興味を惹かれたからである。

執筆のお話自体は、２０２３年6月23日に、東洋経済オンラインに書いた『「沢田研二75歳」〝変化〟してもファンが離れない訳』という記事がきっかけだ。ここから「沢田研二さんの活動から、今後の高齢化社会を生きるヒントを探すというテーマで本を書きませんか」という依頼をいただいたのだ。

ということは、沢田研二さんの人生そのものを追うという「ジュリー本」のスタンスではなく、彼の活動や人気の秘密を「将来の明るい生き方」へとつなげていく必要がある。うむむ、私などに書けるのかと迷ったが、やはり沢田研二さんという人の魅力や、一筋縄ではいかない彼を応援し続けるファンの方の熱量を思い出し、これはきっと生きる力につながるはず。ならばどうにか探ってみたい……と思ったのである。

実は２０１７年にもＣＲＥＡ ＷＥＢ（文藝春秋）で彼の記事を書いたことがあり、当時沢田研二さんはデビュー50周年だった。あるとき、ふとニュースサイトに表示されたジュリーの画像が、とてもインパクトがあったのだ。昔よりふくよかになっていたけれど、逆にそれが良かった。グリーンのジャケットが似合い、白くなった髪とヒゲも神々（こうごう）しく、本当にたくましく、ステキだったのだ。私は思わず次のように記事を書いた。

「私のハートは、その写真を見て完全にストップモーションしてしまった。

そこには昔の壊れそうな美しさとは違う、タイガーのように力強い彼がいた」

この『沢田研二は劣化などしていない！　69歳のジュリーが今こそ愛しい理由』と題した記事は非常に多く読まれ、私は、今なおジュリーの人気が根強いことを知った。

そのときも、彼を長年追いかける人たちから、たくさんメールやコメントをいただいた。そのなかには、コンサートを待ち望み、ジュリーに会うために健やかで、美しくあろうと前向きに生きている人が何人もいた。良質のエンタメは、人の健康寿命を延ばすのだ。

私は１９６９年生まれ。気がつけばもうジュリーはスターだった。彼がザ・タイガースとしてデビューを果たしてからの長さ（57年）と、私の人生の長さ（55年）は、２年しか違わない。つまり、私の人生と同じくらいの歌手人生、ずっと誰かの「生き甲斐」であるほどのパワーを発し続けてきたということだ。これはすごいことだと思う。

そして私の周りにも、彼のように、年齢を重ねながらも現役でギラギラに輝く人たちがたくさんいる。やるべきことをやり、成果をしっかり出してくる大先輩たちの姿と、沢田研二さんの活躍は重なる。そういった人たちへのリスペクトも込めて書き進めた。

第1章の沢田研二さんの全盛期振り返り、第2章の人気の秘密は、ファンの方ならもう知り尽くした内容かもしれないが、時代の空気や変化を振り返る意味で、まとめさせていただいた。第3章は失敗や挫折の度に立ち上がって来た姿、第4章は、老いていくことを楽しんでいるかのような、彼の活動についてまとめている。そして、「今も続く絆」という意味で、彼がデビューしたきっかけ、ザ・タイガースという仲間との関係、人とのつながり方の章を最後にしている。

どこからでも、興味のある章から読んでほしい。そして、ほんの少しでも、これからの人生がより楽しみな気分になっていただければ、本当に、本当に嬉しい。

Julie

プロローグ

「沢田研二」を読み直す

年を取る、ということは、思ったより大変だとつくづく思う。

昭和、平成、令和と三時代を経て、世の中の価値観は大きく変わった。アナログからデジタルへ。競争社会から多様化の時代へ——。

昭和時代に良しとされていた競争心や野心、責任感は、いまや下手をすれば「モラハラ」「パワハラ」と糾弾される原因になってしまう。過度のプライドや「昔は良かった」的な過去の栄光に執着する成功体験は、もはやシニア世代にとって、取扱要注意の遺物となった。

もちろん、権威主義や忖度（そんたく）が淘汰（とうた）されていく、ニュートラルな時代が来るのはとてもいいことなのだけれど、動きが急すぎて戸惑うし迷う。どう年を取っていけばいいのかわからない、といったシニア世代の悲鳴が聞こえてきそうだ。50代半ばの私ですら、不安だ。

そんななか、現在も雄々しくステージに立ち、同世代だけでなく、若者からも喝采を受けるアーティストがいる。

沢田研二だ。

明らかに全盛期を過ぎた（と多くの人が思い込んでいた）彼が、２０２３年6月25日、世間の注目を集めることとなる。いや、単なる「注目を集める」という言葉では足りないほどの、センセーショナルな事態となった。

この日、彼の75歳の誕生日当日に行われていたのが『LIVE2022-2023「まだまだ一生懸命」ツアーファイナル バースデーライブ』だった。会場となったさいたまスーパーアリーナのチケットは、1万9000枚が完売していた。WOWOWによるライブ中継も相まって、Twitter（現・X）には「#沢田研二」がトレンド入り。そのパフォーマンスへの賛辞と、興奮冷めやらぬツイートが途切れることはなかった。

もちろんこの熱狂は、沢田研二が昭和の時代、歌謡界を代表するスーパースターとして活躍した経歴があってこそだ。それは間違いない。

沢田研二とは、60年代後半はGSブームを牽引するバンド「ザ・タイガース」の王子様。70年代初めは、世の中の女性を夢中にさせた危険な妄想の恋人。70年代半ば以降は、時代の移り変わりに揺れる不埒（ふらち）で気障（きざ）な男。80年代はTOKIOの空に輝く、蛍光色のポップアイコンだった。

またある人は、『8時だョ!全員集合』（TBS系列）などでザ・ドリフターズとともに、彼らに引けを取らぬコントを見せるジュリーを思い浮かべ、映画好きは『太陽を盗んだ男』で、彼が演じたプルトニウムを盗む気だるい理科教師の魅力を語り、音楽通はザ・タイガース解散後、短期間の活動となったバンド、PYG（ピッグ）のロックサウンドの素晴らしさを力説する。

昭和のテレビ全盛期において、すべてのエンターテインメントの扉を開くパスワードのごとく「ジュリー」は語られ、実際、歌、芝居、コント、ＣＭ、あらゆるジャンルで躍動していた。

ただ、昭和の終わり頃からビッグヒットがなくなり、１９９０年以降から現在まで、テレビ出演から遠ざかっている。その後、ネットや週刊誌などの記事で名が出るものの、バッシングの対象やオワコン扱いに関係するものがほとんどだった。頑固、傲慢、ファンに怒る、ライブ開催直前のドタキャン――。こんなにも芸能人としては致命的ともいえる炎上をしている人は他に見当たらない。

時には批判を浴びながらも、頑なに自分の生き方を貫くことで、つらい苦しみや困難な時期も長く続いた。それを一夜にして、「奇跡的な復活」と語るのはあまりにも安直だし、そもそも沢田研二に失礼だろう。

人生の浮き沈みを重ねながら、ありのままに年を重ねてきた彼に、今、再び時代がフィットしはじめている。

私が、ザ・タイガース時代から沢田研二を応援しているファンに誘われ、ライブに参戦したのは２０１９年だった。ステージの上で飛び跳ね、動き回り、腰をかがめ、ひょうきんに疲れたというポーズを取りながらも走り歌う彼がいた。私の記憶にあるテレビ時代から、恰幅が良くなった体からは、驚くほど美しく太い低音が響いていた。しかも歌唱力は衰えるどころか増している。

そして、「まいど！」「おいど！」というファンたちとのお決まりのコールアンドレスポンス。往年の歌番組『ザ・ベストテン』（ＴＢＳ系列）で見せていた、お茶目でいたずらっ子のようなトークや躍動感はそのままだった。ああ、やっぱりカッコいい、と素直に思った。そして、そんな彼を揺るぎなく応援し続けるファンの存在もやはりカッコいいと思った。

現在もトライアンドエラーを繰り返しながら、新たな挑戦を止めようとしない沢田研二。年齢を理由に偏見を持つことを「エイジズム」（年齢差別）というそうだが、実力と信念でそれを乗り越え、メディアのバッシングをも賞賛に変えてきた彼の姿は、国民の５人に一人が後期高齢者という超高齢化社会が迫るなか、勇気をもらえる。

ミドルシニアやシニア世代にとって、年を取ることの面白さについて考えるとき、沢田研二の生き方をひもといていくと、いくつもの「ヒント」が隠されていることに気づくのである。

第1章

全盛期に培った美学

GSブームと政治の季節

沢田研二から「生き方のヒント」を得る前に、彼が多くのクリエイターたちからどのような刺激を受けながら、表現者として大成していったのか。さらに、スタイルの変遷を重ねながら、今現在も唯一無二な存在としてあり続けることができたのか。まずは、その軌跡をたどっていきたい。

沢田研二がザ・タイガースの「ジュリー」としてデビューしたのは1967年、彼が19歳のときだ。ニックネームの由来は、「ジュリー・アンドリュースのファン」というものだった。ザ・タイガースは同年2月に『僕のマリー』でデビュー。続いて5月にリリースされた夏らしく爽やかな『シーサイド・バウンド』で大ブレイクを果たす。ザ・タイガースは、デビューからわずか3カ月でスターダムにのし上がったことになる。

そして、8月にリリースした3枚目のシングル『モナリザの微笑』によって、「ザ・タイガース＝王子」というイメージを決定づけることになる。それは、すぎやまこういち作曲によるルネサンス期のイタリアをイメージしたクラシカル・バロック調の音楽と、レコードジャケットで着用した中世の騎士のようなコスチュームによるところが大きかった。その後も『君だけに愛を』（1968年1月発売）、『花の首飾り』（同年3月発売）と、クラシカル・バロック路線は続き、『花の首飾り』から衣装を担当したコシノジュンコによる、薔薇の刺しゅうやリボンなどを取り入れたユニセックスなデザインは、さらにそのイメージを増幅させることになった。

あまりにも短期間で日本中の人気者になり、グループの方向性が示されたザ・タイガース。まさにそれは、少女漫画から飛び出したような存在。特に、ジュリーはそのイメージにぴったりとはまり、作詞家の安井かずみが「世の中の女性は全部ジュリーが好きだった」（NHK－BS2『沢田研二スペシャル　美しき時代の偶像』1991年11月9日～13日放送）と断言するほど、圧倒的な人気を誇ることになった。

しかしGS（グループ・サウンズ）ブームが最高潮を迎える頃、ベトナム反戦運動、大学紛争、70年安保闘争といった社会的騒乱の真っ只中だった。

「政治の季節」とも呼ばれたこの時期、フリフリの王子様的衣装を着け、ロマンチックな恋の歌を歌い、10代の女性の黄色い歓声を一身に受けている彼らは、時代から大きくはみだしていた。そして、世の中が抱える現実的な問題と、そのリアリティのない夢の世界観のギャップは、ザ・タイガースだけでなく、全体的にアイドル化していたGSというジャンル自体を失速させていく。

元ザ・スパイダースのリードギターだった井上堯之(たかゆき)も、角川書店（当時）が刊行していた雑誌『バラエティ』（1979年2月号）で「GSっていうのは、市民権をなかなか得られない、認められにくい存在だったですよね」と振り返っている。

嵐のように吹き荒れたGSブームは、1970年に入ると次々にグループが解散し、ザ・タイガースも1971年に解散。しかし、その中で確かな実力を培ったメンバーは音楽界に残り、名曲を生み出していく。沢田研二も解散後、GSグループの生え抜きで構成されたPYGを結成。それに並行してソロ活動に移行していく。

ザ・タイガースの歴史については第5章で詳述するとして、本章では、沢田研二のソロ活動に中心に話を進めていこう。

安井かずみとの化学反応

沢田研二は、1971年11月リリースの『君をのせて』でソロデビューを飾る。これまでGSで歌唱していた観客を煽(あお)るようなエキサイティングな曲調に比べ、かなりメロウで叙情的な楽曲だった。そのギャップのせいか、すでに圧倒的な知名度がありながら、このデビュー曲は大ヒットまではいかなかった。オリコン1位を獲得したのはそれから2年後、1973年4月リリースした6枚目のシングル『危険なふたり』である。

作詞は安井かずみ、作曲を担当したのはザ・ワイルドワンズのリーダーでギタリストだった加瀬邦彦で、加瀬はこの曲から沢田研二の活動に深く携わることとなる。当時まだ少なかったアートディレクターを彼の専用につけ、さらに奇抜なメイクや斬新な衣装を得意とするデザイナーの早川タケジを抜擢。「元ザ・タイガースの沢田研二」ではなく、ソロ歌手としての沢田研二の魅力を引き出した。

加瀬はその後、『勝手にしやがれ』（1977年5月発売）や『カサブランカ・ダンディ』（1979年2月発売）など、自身が制作に関わっていない楽曲でもプロデュース力を発揮し、唯一無二の「ジュリーワールド」を作っていくキーマンとなっていった。

安井かずみは、ザ・タイガース時代から沢田研二の熱烈なファンであった。『危険なふたり』も、年下のジュリー（愛する人）との恋愛を妄想し、「こう言われたい。こんなふうに彼に追われたい」という妄想を詰め込んだような世界だ。

「年上の人　美しすぎる」と、カメラに向かって指を差しながら歌う沢田研二。当時の様子はよく昭和の歌謡曲を特集した番組などでVTRが流れるが、いずれの会場でも黄色い声援が飛び交っていた。秘密の関係を思わせる甘く危険な言葉を交えながら、ジュリーから愛を伝えられる。瞬間でもその夢がかなう感覚になるのだから、無理もない話だ。

この歌は沢田研二自身もお気に入りだったそうだ。ラジオ番組『今日は一日〝ジュリー〟三昧』（NHK‐FM　2008年11月3日放送）では、実は『危険なふたり』はB面だったが、強引にA面にした、といったエピソードを語っている。

「こっちよりこっちの曲がいいんですよ、お願いしますよ、というのがあったのが、『危険なふたり』。どこが好きだって、『美しすぎる』の部分が好きなんですよ。これを歌えることで、売れる売れない（なんて）関係ないからって思いながらね」

ある意味、相思相愛とでもいうのか、安井かずみの作品世界に通底する、日本人離れしたロマンチックな感覚は、沢田研二の持つ雰囲気と独特の甘い声にピタリと合っていた。

安井かずみは1939年1月生まれ。太平洋戦争開戦前だったが、彼女自身は裕福な家庭に育ち、幼少期は戦禍の届かぬところで過ごしている。さらにピアノやフランス語を幼少期から習い、フェリス女学院高等学校在学中に才能を認められ訳詞家としてデビュー。1965年にはすでに、伊東ゆかりの『おしゃべりな真珠』で第7回日本レコード大賞作詞賞を受賞していた。

まだまだ女性の社会進出が困難な時代、特に男性が主流の歌謡界において、才能を発揮し、頂点を極めていたのだ。まさにファッションセンスも憧れを集め、その生き方すべてが注目されたスーパーウーマンである。

当時、海外旅行者が珍しかった時代だったが、世界中を旅し、ニューヨークに住んでいた経験もある彼女は、グローバルな視野もあった。固定観念も気にしない、ニュートラルな感覚を持っていたのだ。

そんな彼女が、ありったけの芸術的センスとエスプリを詰め込んだ詞の数々は、シャワーのごとくジュリーに注がれ、彼もそれを受け止め、色気と華を開花させた。彼女とのタッグでシングルを連発した１９７０年代前半は、愛の表現者として英才教育を受けた時期といえるだろう。

『追憶』で示した歌唱力と表現力

先述したように沢田研二はこの頃、ソロと並行してＰＹＧでも活動をしている。結成時のメンバーはザ・タイガースの岸部修三(おさみ)（当時。現・岸部一徳(いっとく)）、ザ・テンプターズの萩原健一と大口広司、ザ・スパイダースの井上堯之と大野克夫。しかし、ＰＹＧとしての活動は早々にフェイドアウトしてしまう。当時は「政治の季節」の余波もあって新旧の価値観が相克し、ヒステリックなほどの不満と変革のパワーが世の中に渦巻いていた。そしてそれは、音楽シーンにも大きな影響を与えた。

頭脳警察などの反体制ロックや、岡林信康、三上寛といった、激しく社会の矛盾を問う硬派のフォークが熱狂的に支持を得ており、PYGのように、GSで人気者だった彼らが集まり作った音楽は、一部のロック・フォークファンには「商業主義」と嫌悪されたのだ。沢田研二は、この頃を次のように振り返っている。

「PYGの頃には、いろんなことを教わった時期なんですよね。人間はいわゆる挫折っていうのは必要だと思うよ。もちろんそのあとに挫折から這い上がるということがあって、言えることなんだけど。なんか妙に燃えてたんですよ、タイガースのあと。売れるというのはあり得ない、と思ってたけど、楽しくて楽しくて仕方なかったなあ。この時期っていうのは、すごく勉強になった時期」（前掲『今日は一日〝ジュリー〟三昧』）

逆風が吹くなか、加瀬邦彦と安井かずみがソロ歌手としての沢田研二に与えたのは、反体制でも絶望でもなく、〝夢〟だった。ザ・タイガース時代の、非現実的な中世の王子のイメージに、少しばかりのリアルさをまとわせながら、女性ファンにとっての〝妄想の彼氏〟へと絶妙にキャラクターをスライドさせたのである。彼は少し時代から浮いたところで、受け入れられたといっていい。

『危険なふたり』以降、さらに歌詞の世界はドラマチックになり、数分で展開されるポップスの域に収まらない、一編の映画を観ているかのような世界を有するようになる。

特に10枚目のシングルとなった『追憶』（1974年7月発売）で描かれた世界は、フランス映画のようだった。具体的なワードは「ニーナ」というヒロインの名前のみ。あとは洋画のワンシーンのト書きが、断片的に散らばっているようなイメージだ。

外国の女性の名前を、ジュリーが狂おしく連呼する。ファンは、空想のヒロインとわかっているのに、心のどこかでニーナに自分を投影する。この小さな非現実感が、加瀬邦彦によるドラマチックなメロディーとマッチし、雰囲気だけで酔わせることまでできたのだからすごい。ロックでもない、歌謡曲でもない。沢田研二の歌だった。

実際、7枚目のシングル『胸いっぱいの悲しみ』（1973年8月発売）から売れ行きが停滞していたのが、『追憶』でオリコン1位に返り咲いている。簡単に「返り咲き」と書いてしまったが、当時のオリコン1位は、配信やサブスクリプションなど視聴方法がさまざまな現代と違い、レコードのみ。全国各地のレコード店の売り上げ枚数という統一基準で出されたランキングは、歌手にとって最高の評価だったのだ。

『危険なふたり』から1年後にこれを成し得たということは、大きな自信になったことだろう。初期の沢田研二の歌唱力と表現力を世に知らしめた、ターニングポイントともいえる。社会問題や時代背景より、ひたすら沢田研二自身の魅力に照準を合わせ、繰り広げられた壮大なラブロマンスの世界。乙女たちはそこに入り込み、熱狂したのである。

阿久悠が切り開いた可能性

1970年代前半の沢田研二の楽曲は、女性の願いをかなえるようなラブソングがほとんどだった。しかしこの時期、男性アイドルの前線は群雄割拠の様相を呈していた。『ちぎれた愛』でひたすら愛を叫ぶ、激情型アイドルの地位を確立した西城秀樹や、独特の甘え声とユニセックスな魅力で『裸のビーナス』といったヒットを出していた郷ひろみもやはり、女性たちに絶大な支持を得ていた。

沢田研二の軌跡を追ったノンフィクション『ジュリーがいた　沢田研二、56年の光芒』（島﨑今日子　文藝春秋）には、『危険なふたり』発売時のこんなエピソードが書かれている。

「こうして完成した楽曲を聴いた当時のポリドール担当は、『何これ？　郷ひろみが歌うみたいな歌じゃない？』と首を傾げた」

確かに、『危険なふたり』の年上の女性に愛を伝える歌詞は、郷ひろみの歌声でも想像できる。さらにいえば、「あなたを連れ去り逃げて行きたい」という激しい愛を描いたラブソング『許されない愛』（１９７2年3月発売）は、西城秀樹が歌っても合いそうだ。70年代前半の沢田研二は、まだライバルとの激戦から抜け出すための葛藤と模索が続いていたのだ。

沢田研二に、誰も代わりがいない、唯一無二のステージを用意したのは、作詞家の阿久悠だった。阿久は、理想の恋人として時代の先端を走っている沢田研二に「退廃とデカダンス」という真逆のイメージをつけ、時代の寵児（ちょうじ）へと押し上げたのである。

「歌舞伎の女形が持っているような匂いがある」
「華やかさだけではなく、艶やかさもあり、危険をはらんだ毒性もあった」
「少女たちは花を見、はるか年長のプロの男たちは、毒を感じて評価していた」

これらは、阿久悠が自著『夢を食った男たち「スター誕生」と歌謡曲黄金の70年代』（文春文庫）の中で、沢田研二を表した言葉である。

沢田研二の魅力を「花」として見ていた「少女たち」に対して、「はるか年長のプロの男たち」は「毒」としているが、１９３７年生まれでジュリーより11歳上の阿久自身も、その一人だったのがわかる。

二人が初めてタッグを組んだのは楽曲ではなく、阿久原作の漫画『悪魔のようなあいつ』（作画・上村一夫）の同名ドラマ化（ＴＢＳ系列　１９７5年6月〜9月放送）だった。

演出はすでに『時間ですよ』『寺内貫太郎一家』などのドラマで一世を風靡（ふうび）していた久世（くぜ）光彦（てるひこ）。久世も1935年生まれで、熱い視線でジュリーの耽美性に注目していた「年長のプロの男」だ。

彼らは『悪魔のようなあいつ』で、沢田研二に昭和最大の未解決事件「三億円事件」の犯人で、しかも男娼で不治の病に悩んでいるという設定をあてこんだ。

「華麗な沢田研二を、苛められ、痛めつけられる立場に置くことで、より妖しく見せる計算があった」（前掲『夢を食った男たち』）

激しいベッドシーンあり、バイオレンスシーンあり。安井かずみにより最高に美しく飾られた「魅惑」という装いをボロボロにされていくジュリーの姿によって、人には共有しづらいマニアックな〝背徳の美学〟が表現されていた。

阿久悠の計算通り、理想の恋人という汎用性の高いジャンルから沢田研二は抜け出し、大人の表現者としてイメージチェンジに成功する。それまでも彼が持っていた「危険」というキーワードは劇薬のごとく威力を強め、男性にも浸透することになったのだ。

『悪魔のようなあいつ』の挿入歌となった阿久作詞による『時の過ぎゆくままに』（1975年8月発売）も、ドラマ同様、ポジティブな展開やワードがない、ひたすら堕ちていく世界。これに気だるく儚（はかな）いメロディーをつけたのは大野克夫。「時の過ぎゆくままに」というサビの半音は、虚無感が漂い、歌としての完成度を見事に決定づけた。

この曲には、大野のほかにも井上堯之、井上忠夫（井上大輔）、加瀬邦彦、荒木一郎、都倉俊一といった第一線の作曲家による競作となったが、その中から久世光彦が白羽の矢を立てたというから、なんとも贅沢な話である。『時の過ぎゆくままに』はアイドル曲の範疇を超え、30代、40代の大人たちは酒のグラスを傾けながら聴き、沢田研二最大のヒットを記録した。

やせがまんの美学を演じる

その後も、阿久悠とのコンビで『勝手にしやがれ』、『ダーリング』（１９７８年５月発売）、『カサブランカ・ダンディ』など、名曲を次々と発表する。いずれも「デカダンス（デカダン）」がテーマだった。「昔は良かった」と懐かしみ、後悔、失敗、挫折に浸る。そして惚（ほ）れた女性の前ではやせがまんする。そんな一時代前の、古き良き価値観とノスタルジーに溢れていた。

阿久は自著の『愛すべき名歌たち　私的歌謡曲史』（岩波新書）の中で、１９７８年１月にリリースした『サムライ』について、次のように述べている。

「美意識とか美学とかを持ち出すとややこしくなるが、これは、やせがまんの歌である。やせがまんをカッコ良く思わせたかった。もう時代の中で、やせがまんはカッコ悪くなっていったのである」

敗戦を体験し、新たな世の中に変わっていくのに、完全に前を向けない。どこか昔を捨てきれない。やせがまんも気障も、カッコ良さでなくなっていく寂しさ——。そんな阿久の心情を追うかのように、久世光彦は阿久の小説『おかしなおかしな大誘拐』（集英社文庫）の解説で、〈あのころ〉のデカダンとし、

「戦争が終わって世の中明るくなったと大人たちは言うが、これは本当に明るさなのだろうか。空が青ければ青いほど不安になるのはどうしてだろう。〈自由〉とか〈解放〉とか大人たちは間延びした顔で喜んでいるけれど、どうして自分たちは馴染めないのだろう。私たちは前の時代に、何かとんでもない忘れ物をしてきたのではないだろうか」

と記している。

阿久や久世は、敗戦直後少年時代を過ごした焼け跡世代である。彼らが子どものとき感じたこの気持ちと大人になって向き合ったとき、最も美しい形で再現できるアイコンこそが、沢田研二だったのではないだろうか。当時のジュリーもその試みに、見事に応えた。

後日、沢田研二は阿久悠の楽曲にこんなコメントをしている。

「（阿久さんは）歌手に対して強いプレッシャーを与える。与えられたことによって頑張らなきゃいけないってんで、いろいろ衣装のことを考えたり、振りを考えたりして、なんとかしてそれに対処しようという気もなった」（ＮＨＫ—ＢＳ２『阿久悠の世界　ヒット曲大全集 歌はこの世の魔美夢愛喪（まみむめも）』１９９３年12月６日〜８日放送）

一世代上の美学を演じることへの難しさ。自分たちはリアルに感じ取れない、時代にはぐれ堕ちていく様をどうやって演じるのか？　化粧を施し、コスチュームをデコラティブに着飾る……。言い方を変えれば、ジュリーが披露した映画のワンシーンのような凝った小道具や衣装は、阿久悠の歌詞という名のタイム・マシンに乗り時代をさかのぼるための装置であり、それはまた、ジュリーという大きな個性の一つとなった。

阿久は生前最後となったインタビューで、こう語っている

「『勝手にしやがれ』『サムライ』『ダーリング』『カサブランカ・ダンディ』……ああいう世界は自分の中では好きでしたけれども、沢田研二と巡り合わなかったら書かなかったでしょうね。うまくハマったからよかったものの、ちょっと外したらかなり恥ずかしい（笑）」（『阿久悠　命の詩〜『月刊ｙｏｕ』とその時代〜』講談社）

確かに、阿久が提供したジュリーの曲は、〝照れ〟を少しでも見せたら興ざめに終わる、〝カッコいい〟と〝カッコ悪い〟の狭間にあった。特に、沢田研二に初のレコード大賞受

賞をもたらした『勝手にしやがれ』で、阿久が求めたのは「おかしく、悲しく、ぶざまで、カッコいい個性」。そんなアンビバレントなミッションを、ジュリーはクリアしたのである。

1970年代後半、時代に淘汰される価値観や敗者の在り方を、衣装やメイク、振りつけ、ありとあらゆるデコレーションをして演じる。ともすれば悪趣味になりがちなアプローチも、彼は徹底的に〝絵空事〟に昇華し演じきった。そして、大衆を見惚(みと)れさせる気障の体現者となったのである。

しかし、阿久も時の変化を感じ取り、『カサブランカ・ダンディ』の次の楽曲、『OH！ギャル』(1979年5月発売)で「退廃」ではなく「新時代」の沢田研二を提供する。そしてその後、半年の活動休止に入ることになる。

僕は見世物でいい

1980年1月1日、沢田研二は29枚目のシングルとして『TOKIO』を発表する。作詞は彼と同い年のコピーライターの糸井重里。すでに糸井は、1978年に刊行された矢沢永吉の自伝『成りあがり』(小学館、現・角川文庫)のライティングをきっかけに、翌年の矢沢のアルバム『Ｋｉｓｓ Ｍｅ Ｐｌｅａｓｅ』に作詞家として参加していた。

70年代後半以降、資生堂やパルコなどの広告のアートワークが注目を集めだし、「コピーライター」という職業も、新時代の発信者として認知度が高まっていた。まさに新時代の請負人。そんな糸井が『ＴＯＫＩＯ』で描いたのは近未来的で、カラフルな世界観だった。それまでのジュリーのセピアカラーともいうべき「気障、やせがまん」の物語からの思いきったギアチェンジに、ファンの間では賛否両論が巻き起こった。糸井重里は当時をこう語っている。

「阿久悠さんのつくる沢田研二さんの世界って、カッコいい嘘なんですよ。でも、一九七〇年代の終わりにそれが出尽くした感じになって、『ＯＨ！ギャル』（一九七九年五月発売）になると、もう阿久さんのつくりあげた二枚目のジュリーよりも、パルコの広告のほうがカッコよくなってしまった。そういう流れの中で『ＴＯＫＩＯ』を書いたわけです」（重松清『星をつくった男 阿久悠と、その時代』講談社文庫）

彼の言う「パルコの広告」とは、１９７９年5月、メーキャップを施した沢田研二のヌード（といっても上半身なのだが）に「時代の心臓を鳴らすのは誰だ」というコピーがついたもの。その大判ポスターが渋谷パルコの壁面に飾られ、大きな話題を呼んだのだ。

審美的な「精神性」が先行した70年代から、「モノ」のセンスが美学を表現する80年代

――。それに合わせて、これまで作家の世界を3分間のドラマとして徹底的に演じていたジュリーが、自らをインパクト重視のポップアイコンに振り切ったようだった。

『TOKIO』の作曲は加瀬邦彦。安井かずみとの『危険なふたり』に見られるポップな曲調を維持しながら、サビの部分ではとことん弾けることで、糸井の歌詞をさらにキャッチーに押し出した。なお、電飾ギラギラの衣装に、巨大なパラシュートを背負って歌うというド派手な演出のアイデアは、ジュリー自身が提案したものである。

ちなみにこの時期のほかのヒット曲を見てみると、クリスタルキングの『大都会』、オフコースの『さよなら』、アリスの『秋止符』、海援隊(かいえんたい)の『贈る言葉』といった叙情的な曲が多い。そのなかで『TOKIO』の斬新さと話題性はダントツに飛び抜けていて、ファンを戸惑わせるには十分だった。沢田研二はこのときの〝挑戦〟を、『沢田研二スペシャル　美しき時代の偶像』で、こう振り返っている。

「僕は見世物でいいってやりだしたわけです」

「その頃、人がどういう楽しみ方であれ、楽しんでくれればいいと思って。音楽家にはなれないとも思ったわけで。だから、ミュージシャンとかアーティストにこだわる時代に、僕は芸人でいいですって感じでね」

これまでのイメージを踏襲しながらも、そこからいかに脱皮するか。次々と出てくる若い才能とどのように対峙するのか。そこで選択したのが、これまでとは違う「道化」に徹するという策だったのかもしれない。

若い才能との切磋琢磨

当時のジュリーは奇抜さのみで勝負していたわけではない。沢田研二が作曲家として参加し、シングルカットされた楽曲が多いのもこの頃だ。それらは音楽的にも評価が高く、ジュリーファン以外の新規開拓に成功し、今も人気が高い名曲が揃う。

１９８１年5月にリリースした『渚のラブレター』、『ス・ト・リ・ッ・パ・ー』（同年9月発売）、そして『麗人』（１９８２年1月発売）は、いずれも沢田研二が作曲を担当している。

特に『ス・ト・リ・ッ・パ・ー』は、新たなバックバンドとして吉田建、柴山和彦ら当時気鋭の若手ミュージシャンらによるＥＸＯＴＩＣＳ（エキゾティクス）と組んだ初めての楽曲となった。しかも沢田研二名義ではなく「ＪＵＬＩＥ ＆ ＥＸＯＴＩＣＳ」として、ジャケット写真もメンバーと同列で並び、ジュリーは顔を隠すポーズで写っている。

まるで若い才能に埋もれるようなアプローチ。しかし楽曲は、これまでにも増して沢田研二以外の歌手では歌えない存在感を見せつけられる出来栄えとなった。歌謡曲とロックが絶妙にミックスしたオリエンタルなムードは70年代とは違う「ショーの始まり」を感じさせるに十分で、沢田自身が作曲したシングルとしては最高の36万枚のセールスを記録している。

かねてから沢田研二の大ファンだったアン・ルイスがこの曲に惚れ込み、「『ス・ト・リ・ッ・パ・ー』のような曲を書いて」と沢田本人に頼みこんで実現したのが、1982年6月にリリースされた『ラ・セゾン』だ。すでに芸能界を引退していた三浦（山口）百恵が手掛けた挑発的な歌詞にピタリとはまり、こちらも大ヒットした。

『ス・ト・リ・ッ・パ・ー』はアルバム『S／T／R／I／P／P／E／R』（1981年6月発売）からのシングルカット曲。ちなみにこのアルバム制作は、映画『魔界転生』（深作欣二監督　1981年）の撮影と重なり、ジュリーは、仮歌が入ったカセットを撮影所で聴き覚えたという。レコーディングはロンドンで行われ、バンドとは現地で合わせる形となったが、彼はどの曲も一発OKだったという。編曲の伊藤銀次が記事にて回想していたこのエピソードは想像するだけで熱い。『魔界転生』は妖しい魅力で天草四郎役を演じ、観客動員数200万人、配給収入10億5000万円の大ヒットとなった。

1982年5月には、まだブレイク前だった大沢誉志幸が作曲した『おまえにチェックイン』がリリースされる。インディアンのコスチュームをまとい、「ホミタイ！ チュルル！」と、日本語的な英語や可愛い響きのスキャットを、最高にロックに歌うジュリーが新鮮。これまでにない軽やかさがあった。『ＴＯＫＩＯ』や『ス・ト・リ・ッ・パ・ー』とはまた違った、リアルな新時代を感じさせた1曲である。

　そして極めつけとなったのが、同じく大沢が作曲した、１９８３年5月リリースの『晴れのちＢＬＵＥ ＢＯＹ』。当時まだ日本では耳慣れなかったジャングルビートを用い、普段は流行歌に目を向けないサブカル層にも注目されることになったのである。安井かずみと組んだ70年代前半が女性、阿久悠と組んだ70年代後半が年長のプロの男性の願いをかなえたとするなら、80年代はアート系（音楽通）のハートをつかんだのだ。

　ちなみに、１９８２年9月にリリースした『6番目のユ・ウ・ウ・ツ』には、こんなエピソードがある。実は沢田研二が作曲した『ロマンティックはご一緒に』をA面にする予定だったが、ＥＸＯＴＩＣＳメンバーの西平彰が作曲したこの『6番目のユ・ウ・ウ・ツ』が急遽A面に選ばれたのだ。

　沢田は当時スタッフに「彰に負けた」とよく話していたそうで、こういった若い才能との切磋琢磨を大いに楽しみ、刺激になっていたことが見て取れる。『6番目のユ・ウ・ウ・ツ』のテーマは「クラシカル・ニューウェーヴ」。つまり、古さと新しさの融合だった。30代の沢田研二は、当時世間一般の認識ではすでにアイドルとしては高年齢の域だったが、それでも彼は守りに入ることはなかった。若い才能と時代を吸収し、自分流に昇華していったのである。

音楽や絵画、生き方までも「アート」と呼ぶようになっていたこの時代、持ち前の存在感に甘えず、これまで培った経験と実力を活かし、才能溢れるスタッフと協力し、「ジュリー」というアートを作り込んでいた。

1983年の第34回紅白歌合戦に『晴れのちBLUE BOY』で出場した際、沢田研二はこう紹介されている。

「昨日の自分は捨て、常に明日の自分を作ってゆく沢田研二さんです」

懐メロ歌手にはならない

1980年代半ばからは、沢田研二のテレビ露出が減っていく。これは彼に限ったことではなく、ザ・チェッカーズやC-C-B、安全地帯などのバンドが勢力を増し、歌謡曲を歌っていたベテラン勢の多くが居場所を失くしていった時期だった。

1982年にデビューした中森明菜や小泉今日子が独自の世界観を広げ、これまで沢田研二が担っていた、革新的でデコラティブな演出を、彼女らが新時代の感覚で発展させていった。また、アイドル全盛期の近藤真彦が萩原健一と『愚か者』（萩原健一版のタイトルは『愚か者よ』）を同月にリリースするなど、世代交代の風も吹いていた。

さらには１９８５年、バラエティー番組『夕やけニャンニャン』（フジテレビ系列）から飛び出したおニャン子クラブが若者に圧倒的支持を得て、歌番組のランキングを占めるようになる。半分素人のような彼女たちの存在は、「アイドルを育てる」という新たな楽しみ方を視聴者に与えた。ファン以外は理解できない曲が増え、家族が揃って楽しむコンテンツとしての歌番組は衰退していく。

しかし、沢田研二自身は決して進化を止めたわけではなく、同じく１９８５年、ザ・タイガースでデビューして以来所属していた渡辺プロダクションから独立し、個人事務所ＣＯ－ＣoＬＯ（ココロ）を設立。その後もコンスタントにシングル、アルバムをリリースしていった。特に１９８９年10月に発表したアルバム『彼は眠れない』は、奥居香（プリンセス プリンセス）、ＮＯＢＯＤＹ、鶴久政治（チェッカーズ）、大沢誉志幸、徳永英明といった才能溢れる若手とタッグを組み、忌野清志郎、松任谷由実という実力派も楽曲を提供し話題になった。

しかし、歌謡界は変化し続け、１９８９年９月に『ザ・ベストテン』（ＴＢＳ系列）、

1990年10月に『夜のヒットスタジオ』(フジテレビ系列)など、歌番組が次々とお茶の間から姿を消していった。そして1990年代は、プロデューサー・小室哲哉の登場で、コムロブームが訪れる。やがてバブルが弾けると、大人の信用が地に落ち、コギャル文化が吹き荒れ、時代の中心は「女の子(JK)」になっていくのだった。

もちろん、一時代を築き熟練のパフォーマンスを魅せる歌手たちの活動の場がゼロになったわけではなかった。けれどどうしても昔のヒット曲をメインにする番組が多く、沢田研二は「懐メロ歌手になりたくない」という理由で、その手のテレビ番組のオファーを断り続けた。

かつて露出し続けたテレビの世界と、音楽的にも感覚的にもどんどん距離が開いていく。そんな時期、沢田研二の大きな転機となったのが、舞台出演のオファーだった。1989年からスタートした、アトリエ・ダンカンを主宰する池田道彦の誘いで始めた〝たったひとりの音楽劇〟『ACT』シリーズである。

沢田研二は出演を決めた理由について、『今日は一日〝ジュリー〟三昧』で楽しそうに語っている。

「いままではシングルがヒットする歌い手だったんですよ。けど、そうじゃなくなる、ということが起こるわけですね。生活が一変するわけです。どう一変するかというと、ヒマになる。そんなとき、芝居がかったもの、変わったものを何かやらないか、と言ってもらいまして。ほっとかれたら死んでますよ（笑）」

とはいえ、これまで、何千人単位の前でパフォーマンスをしていた沢田研二が、ACTの公演では、キャパシティが５００人ほどの会場を中心に演じることになったのである。彼は、池田から「足のつま先までさらしもんだよ」と言われたというが、まさにその感覚だったであろう。客席がとても近いなかで、世界中の芸術家や偉人を演じ、ヒット曲をストーリーに盛り込んで作り込むのは、かなりハードルの高い挑戦だ。

低迷を感じる時期に、これまでと違うことをしてみる。それだけではなく、「さらされる覚悟を持つ」勇気が、ターニングポイントに必要なのかもしれない。彼の決断を見て、つくづく思う。

第1回公演は、芝居と歌を織り交ぜ、ドイツの作曲家、クルト・ヴァイルの生涯を描くという内容で、これが好評を博した。以来、プレスリー、ダリなど、さまざまな偉人を取り上げ、10年も続くことになる。

１９９５年には宮沢賢治を演じ、有名な詩「雨ニモマケズ」を、ベートーベンの『運命』に乗せて歌うという驚きのチャレンジもしている。ラジオでは当時を思い出し、「無理がありますね、と思いますね。自分では悦に入ってるんですけどね」と、とても楽しそうに回想している。

その間もシングル曲はコンスタントに発表し、名曲も多い。特に『そのキスが欲しい』（1993年10月発売）は、冒頭から胸の奥の興奮を引き出されるようなキャッチーな楽曲。当時セールスは伸びなかったが、現在もライブで人気が高い1曲である。

紅白歌合戦の出場は1994年が最後となった。この年の紅白は小椋佳（おぐらけい）『さらば青春』、吉田拓郎『外は白い雪の夜』、西城秀樹『YOUNG MAN（Y. M. C. A.）』など、沢田研二と同年代の歌手が何組も、懐かしいヒット曲で数年ぶりに出場していた。

そんな中で彼が歌ったのは、同年11月にリリースしたばかりの新曲『HELLO』だった。作詞作曲は、おニャン子クラブやとんねるずなどで一世を風靡していた秋元康と後藤次利コンビ。ジュリーへのリスペクトを感じる、歌謡曲とロックの融合を感じる名曲で、イエローのへそ出しセーターでこれを派手に歌いきった沢田研二は、以降の紅白出場を辞退している。

「沢田研二」をセルフプロデュース

１９９５年12月にリリースしたアルバム『Ｓｕｒ↑（ルーシュ）』から、沢田研二はアルバムの制作スタイルを、完全セルフプロデュースに移行した。テレビにほとんど出演しなくなるのもこの頃からだ。

誰でも無料、しかも〝ながら〟で観ることができるツール（テレビ）から、自分に時間とお金を使い、楽しみにしているファンに向けたライブ、舞台、映画に重点を置くようになった。ここから現在に至るまでの彼の活動と経緯は、筋金入りのファンしか知らない。言い換えれば、ずっとテレビのみで沢田研二を観てきた一定層にとっては、彼がどんなふうに活動しているか見えない長い空白期間がぽっかりと空くことになった。

しかし、それは決してアーティストとしての衰退ではなく、むしろ、それまで作り上げてきた〝ジュリー〟から、自分が歌いたい歌を発信する〝沢田研二〟としての活動が始まったといえるだろう。『朝日新聞』の「天声人語」（１９９９年９月29日付）には、彼のこんな言葉が取り上げられている。

「売れる、人気が出るというのは、自分では分からない。今は、沢田という商品が素うどんなら、素うどんの好きな人だけ食べればいい、と。ぜいたくなトッピングをして食べさせたいと思わないんです」

２００１年以降は、シングル、アルバムのジャケットはイラストやイメージ写真でデザインされ、２０２２年11月リリースの『いつか君は』まで、実に21年間、彼の姿は前面に出なくなっていくのだった。

第2章

愛される理由

『ザ・ベストテン』と沢田研二

沢田研二がソロデビューした1971年から2000年までの軌跡を一気に振り返ったが、歌唱シーンを思い浮かべる際、やはり真っ先に思い出すのは『ザ・ベストテン』（TBS系列）だろう。1978年から89年まで放送された、昭和の歌番組の金字塔である。

私も毎週木曜の21時前には、テレビの前に陣取ってスタンバイしていた。鳴り響くファンファーレのような音楽、そして久米宏と黒柳徹子による「ザ・ベストテン！」というタイトルコール。ジャカジャカジャカと回るランキングボードに胸を躍らせ、ジャンルを問わず、たくさんの名曲や名歌手と出会うことができた。

沢田研二は初回放送の1978年1月19日から登場している。ランキングは次の通りだった。

1位：UFO　ピンク・レディー
2位：わな　キャンディーズ
3位：しあわせ芝居　桜田淳子

4位：わかれうた　中島みゆき
5位：禁猟区　郷ひろみ
6位：憎みきれないろくでなし　沢田研二
7位：ブーツをぬいで朝食を　西城秀樹
8位：若き旅人　狩人
9位：泣き虫　清水健太郎
10位：風の駅　野口五郎

タイトルだけ見ても、昭和歌謡好きにはテンションが上がる名曲揃いだ。ピンク・レディーとキャンディーズという、伝説の女性アイドルが1位と2位を争っているのが時代を感じさせる。『しあわせ芝居』という中島みゆきの楽曲を歌う桜田淳子の次に、中島みゆきの『わかれうた』が来るのもファンにとっては至福の時間だろう。

当時人気絶頂のアイドルだった新御三家（郷ひろみ、西城秀樹、野口五郎）と沢田研二も揃い踏みだ。５位から7位のヒロミ、ジュリー、ヒデキという流れは、日本中の茶の間で、多くの女性たちがテレビの画面を凝視していたであろうことが想像できる。そして、沢田研二はその後も、『ザ・ベストテン』の顔となっていく。

ロックの類はまだ見えず、ニューミュージックは中島みゆきだけ。歌謡曲の黄金時代だったことは一目瞭然である。沢田研二の曲は21枚目のシングル『憎みきれないろくでなし』（1977年9月発売）が6位となっているが、『時の過ぎゆくままに』や『勝手にしやがれ』のリリース時に『ザ・ベストテン』が放送していれば、1位に輝いていたに違いない。

『憎みきれないろくでなし』は翌週の放送で10位に落ち、第3回ではランキングから姿を消した。代わりに次のシングル曲となった『サムライ』が10位にランクインするが、なかなか1位になれず、久米宏がそれについて質問したとき、彼は「早く一等賞を獲りたいですね」と返している。「1位になりたいですね」ではなく「一等賞」！　なんともかわいい表現だ。『ザ・ベストテン』のプロデューサーだった山田修爾（しゅうじ）氏による著書『ザ・ベストテン』（新潮文庫）にも、

「運動会くらいでしか耳にしない一等賞という言葉が、司会の久米さんと黒柳さんには大うけとなり、以来、沢田さんの第1位の話題になると、〝一等賞〟という言葉が飛び出していた」

とある。そして、この〝目指せ一等賞トーク〟は毎回おおいに盛り上がった。

ナンバーワンもオンリーワンも目指す

『輝く！日本レコード大賞』や『ザ・ベストテン』などの映像を集めて構成されたBS-TBSの番組『沢田研二 華麗なる世界 永久保存必至！ ヒット曲大全集』（2023年6月13日放送）を企画・演出した田代誠氏が、『ザ・ベストテン』と沢田研二の関係性について次のように回想している。

「『ザ・ベストテン』の頃はニューミュージックの人たちが出始めて歌謡界の人たちが劣勢になっていく時代でした。僕も『ザ・ベストテン』に関わっていましたが、沢田さんは歌謡界の最後の砦みたいな感じで番組に協力して頑張っていました」（スポニチアネックス「牧元一の孤人焦点」2023年6月12日配信）

確かに1978年の半ば頃からは、世良公則&ツイストや松山千春など、シンガーソングライター陣がランキングの上位を占めるようになっていく。それでも、沢田研二は毎回自分を鼓舞するように、一等賞トークを繰り広げた。順位を折れ線で示したグラフを手に、ダウンしたときの悔しさも、ユーモアも入れつつ見せてくれた。

1979年3月8日の放送で、久々に1位になった『カサブランカ・ダンディ』では、その喜びを表現するために、苦手な高所で歌うパフォーマンスを披露し、「そこまでやってくれるのか！」というくらい、番組を盛り上げていた。

大スターでありながら、ランキング番組という趣旨を一番に理解し、盛り上げ、自分自身も楽しんでいた。そんな沢田研二の『ザ・ベストテン』での番組との関わり方が、まさに一等賞だった気がするのだ。田代氏は先の番組でこうも語っている。

「沢田さんは覚悟の決め方、度胸は普通の歌手とは違います」

『ザ・ベストテン』の沢田研二は、ナンバーワンにもなっていたし、オンリーワンの華麗さも見せていた。

『ザ・ベストテン』は、70年代から80年代の競争社会というものをポジティブに捉え、昇華させた番組だったと思う。順位を上げるというシンプルな目標により、競うことで野心が覚醒し、華やかさを増すスターも多かった。

しかし、バブルが崩壊した頃からだろうか。誰かと競い一番を決めるということを否定的に見る風潮が強くなっていった。１９９０年代後半には、運動会の徒競走で順位をつけないという学校が日本各地に現れ、２００３年にはＳＭＡＰの『世界に一つだけの花』が大ヒットする。これは社会現象になり、私などは、時代の価値観が変わったことをはっきり宣言されたような感覚すら持った。それほどキャッチーだった。

実際、歌詞に登場した「オンリーワン」は２００３年以降、多様性の時代を映すキーワードとなった。もちろん、金子みすゞの「みんなちがって、みんないい」など、自分という個性を大事にする詩や歌は古くからあった。ただ、『世界に一つだけの花』がそれらと違うのは、ナンバーワンにならなくていい、と歌ったことだろう。

心が楽になった人も多いはずだ。とはいえ、結局隣にいるすてきなオンリーワンと比べうらやむ心はどうしても生まれてしまう。場面によっては、他人と競争して順位がつくほうが、もしナンバーワンになれなくても、努力で得られる達成感と、次につながる悔しさがシンプルに手に入るだろう。

他者から煽られて1位を目指すのは、確かに疲れてしまうが、自ら売れたい、人よりも何かしら抜きん出るものを得たいという野心は、清々しい。これを目指して頑張ることが、暑苦しい、必死過ぎと笑われてしまう世の中になると、非常に生きにくい。

競争の途中で、自分の個性を花咲かせることができる。縦社会の中で、必死で手を伸ばし、上を目指すことが「当たり前」であった時代を知るシニアたちは、その苦しみはもちろんだが、「手応え」も覚えている。その一等賞の成功体験は、過去のものではなく、これからの時代を前向きにする、大きなエネルギーにもなり得るのである。きっと大切なのは、そのエネルギーの使い方だ。

笑いのセンス

70年代から80年代前半に盛んだったのは歌番組だけではない。アイドルがプロのコメディアンと絡み、歌とコントを繰り広げるバラエティー番組が数多く制作されていた。キャンディーズと伊東四朗、小松政夫による『みごろ！たべごろ！笑いごろ!!』（NET系列、現・テレビ朝日系列）や、堺正章に井上順、研ナオコ、新御三家の野口五郎、西城秀樹、郷ひろみなど、新旧アイドルが参加した『カックラキン大放送!!』（日本テレビ系列）、タモリによる音楽とトーク、コントを融合させた『今夜は最高！』（日本テレビ系列）。そして一世を風靡したザ・ドリフターズによる『8時だヨ！全員集合』（TBS系列）と『ドリフ大爆笑』（フジテレビ系列）——。

歌とお笑いと芝居がリンクした番組から見える、アイドルの人柄やノリの良さ、そしてアドリブ力に、改めて魅了されたものだ。特に私が幼いながらに「歌手だけど、この人が出るコントは必ず面白い」と、そのお笑いのセンスに信頼を置いていたのが、由紀さおりと野口五郎、そして沢田研二であった。

由紀さおりは『ドリフ大爆笑』のコントで素晴らしい滑舌の良さと演技力を見せ、メンバーを引っ張る喜劇女優の風格すらあった。野口五郎は、西城秀樹と郷ひろみに比べて少し地味な印象だったのだが、『カックラキン大放送!!』のコーナーの一つ「刑事ゴロンボ」のコントのうまさに、「ものすごく面白く器用な人」と好感度が急激に上がり、楽曲にも興味を持つようになった。今でも彼はダジャレ王として名を馳せ、多少スベっても気にせず次のギャグを繰り出す軽やかなトークスキルは、おおいに参考になる。

そしてジュリーは、テンポの良いノリツッコミと、間の取り方が最高だった。ネイティブな関西弁で、歌唱時とのギャップが面白さを倍増させていた。思い返せば、70年代、80代前半の沢田研二は、耽美さと退廃的な雰囲気ゆえに、ドラマでは不幸な役や、生きる希望が見出せない役柄が非常に多かった。

沢田研二自身も、1979年3月20日に放送された『ふたりのビッグショー 沢田研二・山口百恵～めぐり逢いそして…』（NHK）で、山口百恵とのトークで芝居の話になり、「ドラマやお芝居では必ずといっていいほど犯人役なんですね。しかも、最後は必ず殺されるか、自分で死ぬかです。困りますね」

と語っていた。虚構の世界とはいえ、大変な状況である。下手をしたら芝居に引きずられ落ちこんでしまいそうだ。ユーモアは彼自身のメンタルバランスを保つのにも役立ったのではないだろうか。

人生を明るくするユーモア

沢田研二のユーモアセンスは、年齢を重ねてからも変わることなく、芝居面でおおいに活かされている。1999年に公開された市川準監督、池脇千鶴主演の映画『大阪物語』では、ヒロインの父親で、田中裕子とともに夫婦漫才師を演じたが、これが出色の出来栄えだった。漫才シーンの台本を担当した構成作家の本多正識（まさのり）によると

「NGKでの本番収録前には、3人でのネタ合わせを済ませて舞台へ。お客さんには『映画の撮影』だけしか知らされておらず、お2人が舞台へ出られても誰も気づかず、5分あたりで田中さんがセリフを忘れられて『すいませ～ん』と止まられたところ助監督がお2人を紹介して大歓声に！　この時、沢田さんが『最初の誰やねんこいつら？　あの雰囲気最高でした。次もあれでお願いします』と客席に頭を下げられ、2度目の撮影でOKが」

（日刊現代『日刊ゲンダイDIGITAL』2022年9月22日配信）

とある。あんな大スターの二人がそのオーラを消し去り、会場の空気を「誰？」状態に持っていったのはすごいことである。私も客席にいたかった。

2022年公開の映画『土を喰らう十二ヵ月』（中江裕司監督）で、沢田の恋人役を演じ

た松たか子も初日の舞台あいさつで、彼の印象について、真っ先に面白さを挙げていた。

「私が子どもの時に衝撃的だったのは、コントをされてる沢田さん。こんな格好いい人が、こんな面白いことができる人なんだと衝撃を受けたんですよ。大爆笑でした。私はそっちの世代なので。この人たちとこんなに対等に、面白いことをして笑わせてくれるすごい人だな、なんて人だと思っててくぎづけになりました」

松たか子は『ドリフ大爆笑』の放送開始と同じ1977年生まれ。1985年まで続いた『8時だョ！全員集合』も放送中で、「そっちの世代」とは、まさにドリフ世代ということだろう。

沢田研二は特に志村けんとの相性が抜群だった。当時の二人の立ち姿を見ると、背格好も雰囲気もかなり似ている。数多いたコメディアンの中でも目立つ、スタイルの良さと甘いマスクを持っていた志村けん。彼がおおげさに格好をつけながらスターを気取っている横で、気の抜けた笑顔とバリバリの関西弁でボケまくるジュリーの「付き人コント」を思い出す。二人のコンビネーションによる笑いは、ほのぼのしたユーモアに包まれていた。この関係性は志村の死去で代役を引き受けた『キネマの神様』（山田洋次監督　2021年）につながっていく。

こういったエピソードや、コントでの芸達者ぶりを見ていると、きっと本人もお笑いが大好きなのだろうと思う。私もまた、ジュリーの笑いを楽しんだ一人だ。沢田研二に関するネガティブな報道があっても、心の隅で「ジュリーは明るく解決するだろう」という不思議な信頼感があるのは、コントや映画で、お笑いシーンを誰よりも楽しそうに演じていたり、歌番組のトークでも笑いを交えたり、常にユーモアを持ち続けていた記憶があるからだ。

今でもコンサートのＭＣのキレ味は健在だ。「昔はジュリー、今はジジイ」。そう言って、年を取ることも体形の変化も全部笑い飛ばし、客席を沸かせている。

言わずもがな、ユーモアはコミュニケーションを円滑にするカギである。アメリカの心理療法士ミラ・カシンバームによる「笑いは問題を小さくするものである」という名言もある。もしかして、生きるのに一番大切な要素かもしれない。

とはいえ、ユーモアの定義は、時代によって変わる。特に男女の格差が大きく、競争社会だった昭和世代のギャグは、多様性を生きる現代の若者たちと価値観が大きく違い、逆に〝地雷〟となる危険性がある。下手をすれば、パワハラ、セクハラと言われてしまうかもしれない。言ったあとに「さあ笑え」というドヤ顔をするなどもってのほかで、「ウザイ」と言われてしまう可能性がかなり高い。

独りよがりにならないよう注意するのは大前提だが、周りを笑顔にしたいという純粋な気持ちは、必ずポジティブに相手に伝わる。何よりユーモアを発揮しようとするとき、その人は笑顔を見せる。これは本当に大切なことだ。彼のようにジェネレーションギャップの戸惑いや「年齢を重ねることで気づくあるある」はおおいにネタにしてＯＫだ。私も何か流れのよい、テッパンの一言を作りたいところだ。

期待に応えるということ

時代を牽引し、時代のアイコンとしてさまざまな顔を見せてきた沢田研二。その姿はいつも挑発的で、誰も想像もつかない魅せ方で度肝を抜いてきた。私も幼少からテレビで見ていたけれど、自分の才能を知り尽くし、世間を驚かすのが大好きで、常に時代の最先端を目指す大胆なチャレンジャー、というイメージだった。

ところが、沢田研二に関する本やインタビュー、コンサートのＭＣから見える素顔は、決して「大胆なチャレンジャー」というわけではなかった。ただただ与えられたことに向き合い、期待以上のものを作ろうと努力する人だった。

「僕はもともと引っ込み思案で、自分から何かをするという質（たち）じゃないんです。いつも後手後手。今までの人生で、先手必勝ということは一度もありません」（日本司法

支援センター広報誌『ほうてらす』Vol.2夏号　2007年6月1日発行）

「ぼくは理屈をこねるよりも、与えられた状況のなかでやっていくほうが好きですから」

（朝日新聞社『週刊朝日』1991年5月24日号）

この「後手」の性格が多くのクリエイターたちを奮起させただろうことは、彼の楽曲やレコードジャケット、ポスター、コンサートの演出を見ても明らかである。

自分という素材を提供し、誰かの世界や夢を具現化する。これは、周りをよほど信用するか、もしくはどうにでもなる覚悟がないとできないことである。デビューしてすぐスターになった彼のことである。「ああしたい、こうしたい」とさまざまな要求をしてもすんなり通ったとは思うが、しないのがすごい。昔、彼の密着ドキュメンタリーを観たことがあるが、確かに、静かに与えられた要求をまっとうする姿があった。考えてみれば、ジュリーに限らず、それは60年代や70年代に活躍した歌手にとって、一つの使命でもあったように思う。

当時は職業作家の時代。プロの作詞家が歌を書き、プロの作曲家がメロディーをつけ、プロの編曲家がそれに合った楽器編成を考え、それをプロの歌手が歌う。完全分業のシステムから出てくるのは、数人がかりの美学のミックスによる、複雑な擦り合わせの妙であり、自分の言葉や思想を歌うフォークやニューミュージックとは違う、何重ものレイヤーが重なる世界だ。

見方を変えれば、毎月星の数ほど出てくる歌手の中、抜きん出て人気を誇った人たちは、彼らの個性を活かす作家やスタッフとの縁に恵まれたこと、そして何より、本人たちがプレッシャーに負けず、それを余すところなく伝える実力があったことだろう。

信頼できる人の言う通りにやってみたり、流行に乗ってみたりするのは、案外沢田研二のように「後手後手」の人のほうが、抵抗なくできるのかもしれない。そこから見える景色は、きっと想定外の美しさだ。

コンプレックスを力に

デビュー後、瞬く間に日本で一番の人気者になり、そのきらびやかな姿から、コンプレックスとは無縁のように見える沢田研二だが、実は劣等感こそ、時代のアイコン「ジュリー」を作る大きなエネルギーだった。彼からは驚くほど多く、自分の歌の「へたくそ」エピソードが飛び出してくる。

初めてステージで歌った京都のダンス喫茶「田園」では、当時所属していたサンダースのバンドマスターから、はっきり「ヘタ」と言われていたという。

「どうせヘタなんやから寝転がって歌えとか、いろんなことをいわれた。そういう熱演をすることで自分のヘタさを補え、ということを教えられたりもしましたね」（講談社『月刊現代』1988年12月号）

「（歌が）うまいと言われたかった、でもなかなか言ってくれなかった。テクニックもないのに、テクニックを使っていた。それは割と最近まで続いたんですよ。うまいと言われなくていいと思えるようになったのは、ヘタだと言われなくなってからです」（前掲『沢田研二スペシャル　美しき時代の偶像』）

とはいっても、ザ・タイガースの追加メンバーだった岸部シローは、『ザ・タイガースと呼ばれた男たち―ある団塊の世代の肖像』（あすか書房）にて、「田園」で兄の修三が沢田をスカウトする経緯を「〝彼は男前でそのうえ歌もうまい〟と評判でしたから」と回想している。さらに、ソロになってからも1972年に2枚目のシングル『許されない愛』で第14回日本レコード大賞の歌唱賞、翌1973年には『危険なふたり』で第6回日本有線大賞歌唱賞、1975年に『時の過ぎゆくままに』で第4回FNS歌謡祭・下期優秀歌唱賞を受賞するなど、歌の評価はデビュー当初からとても高いのだ。その裏で、こんなにヘタヘタと言われていたとは、プロの世界は厳しいとつくづく思い知らされる。

きっと彼の耳には、褒め言葉よりも、少し意地悪にさえ取れる批判のほうがまっすぐ入ってきたのだろう。そして実際、「へたくそ」と言われることで燃えたという。

「僕は、へたくそだへたくそだ、って言われてね。(中略)でもね、なにも無駄なことはなくてね。僕は言われて奮起しましたね。褒められるのはそんなに嬉しいタチじゃなかったですよ、子どもの頃から。安心はするんですよ。でも、それに酔いしれることはほとんどなかった。お前ヘタだな、と言われるとね、なんでやのん、と思いながら、やっぱり頑張るわけですよ。褒められることよりけなされることでね。どっちかというと根に持つタチかもしれませんがね(笑)」(前掲『今日は一日〝ジュリー〟三昧』)

前掲の岸部シローの著書には、沢田研二のこんなインタビューが載っている。

「ボクは、ずーっとうぬぼれないでやってきた、という、『自分』に自信がない分だけ、一生懸命やるっていうのか、不安を払しょくする為に一心不乱になれるっていうところがありますよ。批判なり悪く言われることを、普段から肝に銘じている」

阿久悠が沢田研二に惚れこみ作った歌も、彼自身は、それに喜ぶのではなく、難しさ、ハードルの高さに悩んだ。しかも、阿久悠や安井かずみといった当時のヒットメーカーの作る詞は、自分ではなく、誰が歌っても売れるのは当たり前だったと、インタビューやMCで語っている。それが悔しいから、さらなる努力をしたのだ、と。

テレビを観ている側からすれば、明らかにジュリーというカリスマ性が楽曲の世界を何倍にも輝かせていたように映っていた。けれど、それは「カリスマ性」というよりむしろ、もがき、一生懸命になったことの輝きだったのだ。

１９８５年、彼はリリースから10年経った『時の過ぎゆくままに』について、雑誌のインタビューで、こう語っている。

「僕は、歌い始めたのが早かったから、ほとんど背伸びソングだった。自分の中でも、その頃は、硬派よりちょっと軟派な感じだったし。阿久悠さんの詞なんか、本当に嫌いだったもの。

ものすごくカッコよくてね。で、キザな詞やな、そんなカッコよくできるわけないで、と思ってた。

でも、今はやっぱりすごいな、と素直に思うもんね。あの頃、わからなかった、あるいは歌えなかった歌詞の意味がわかったり、ジワジワ好きになったり。僕も成長したし、年齢もあるんだろうけどね」（集英社『コスモポリタン』１９８５年12月20号）

沢田研二のように、若い頃に持て余していた美学に、いつしか年齢が追いついてくるということは、私たちの世界でもおおいにありうる。それは豊かな人生を送るための「気づき」なのかもしれない。

レッテルからの自由

また、沢田研二の歌手人生を通して見ると、熱狂的に時代に求められもしたが、同時に、はじかれ続けた人でもあることがわかる。

彼がデビューしたＧＳ（グループ・サウンズ）というジャンルも、当時決して世の中すべての人が黄色い声援を送ったわけではなく、むしろ逆だった。当時から沢田研二を絶賛していた阿久悠も、『夢を食った男たち「スター誕生」と歌謡曲黄金の70年代』で、ザ・タイガースについて、

「エレキ・ブームからグループ・サウンズの初期にかけて、ぼくらが勝手に幻想していた、音楽における革命児イメージは、このグループの成功によって、きれいに消え去ってしまった」

とし、ザ・タイガースブーム以後のＧＳは、「宝塚的に着飾って、少女コミックス的内容の歌を歌うのが主流となるのである」と、かなり辛辣に回想している。

しかしその麗しさは、ビートルズやベンチャーズへの憧れが横溢し、加えて叙情的な日本のフォークや歌謡曲も勢いがあった１９６０年代後半から70年代前半にしか現出しえな

かった特有の輝きがあった。だからこそ音楽史に残る伝説となったともいえる。

とはいえ、それはあとになってからの話であり、当時、やりたい音楽とやらされる音楽のギャップや、人気と反した、音楽業界からの疎外感みたいなものはきっと、本人たちが一番抱えていたことだろう。その後も沢田研二には、音楽の「枠組み」にこだわる人たちを納得させる難しさがつきまとった。

「僕なんかはグループ・サウンズというのから始めて、ロックと言い出したら、『お前はロックじゃない』といわれて受け入れられなくて、それで右行ったり左行ったりしながら、歌謡曲の畑では『歌謡曲の人間ではない』といわれて。じゃ、自分はいったい何なんだっていったら、そりゃ〝ジュリー〟であるし、〝沢田研二〟であるし、みたいなところでずーっとやってきて。最近ではもう自分でいう必要もなく、ロックだという人はロックというし、歌謡曲だという人は歌謡曲というし、みたいに……。それはそれで自然の流れなのかなと思うしね」（ユー・ピー・ユー『Ｅｓｑｕｉｒｅ（エスクァイア）』１９９１年９月号）

「歌謡曲の人間ではない」と言われたとされているが、私は沢田研二ほど歌謡曲を体現している人はいない思う。なぜなら、昭和歌謡というジャンルの源泉が、はじかれた者のコンプレックスだと考えているからだ。

大きく世の中が変わっていく流れに乗り遅れそうな自分を鼓舞し、時には空回り、愚痴も言う。そんな感情と、四季や風景、世相を織り交ぜた世界が、作り手と歌い手の美学のせめぎ合いによって、おおげさなほど美しく表現された歌謡曲という世界。

それらを聴いていると、コンプレックスも一つの才能の糧(かて)なのだと思える。失敗や劣等感を前に、カッコ悪いほどあがくこともカッコ良かった、あの時代に、これからも立ち上がる勇気を、おおいに教わりたいと思う。

過去の栄光を切り離す

何十年にもわたりライブに通い続けているファンに、こんな質問をしたことがある。

「沢田研二の一番の魅力はどこですか?」

あまりにも稚拙(ちせつ)な内容だったが、多くの方が「ジュリーはジュリーであることが一番の魅力なのよ」と答えてくれた。そんな中、

「ジュリーは昔の曲を、ほとんど歌い方をアレンジしないで歌ってくれる。聴きごたえが若い頃と変わらないのが好き」

と、具体的に答えた方がいた。

確かにそれは最高だ。年を取れば体力もなくなり、オリジナルキーではでない音階も出

てくるだろうし、息継ぎも増えてくる。アレンジをするのは、ある意味仕方がない。それが昔のヒット曲を歌っても、歌い方に余計なヒネリを入れない、ほぼ同じように歌うというのは、すさまじい努力と意地が見える。

私が初めて行った沢田研二のライブ『SHOUT!』（大阪フェスティバルホール2019年5月14日）でも、同じことで感動した。『勝手にしやがれ』と『ス・ト・リ・ッ・パ・ー』がセットリストに入っていたのだが、リリース時に聴いた、ゾワゾワと胸が高鳴る感じが、ほぼリズムを崩さず届いてきたのである。もちろん生歌なりのリアルな変化があるけれど、年相応の年齢を重ねていながら、歌い方がほぼ変わっていない。それどころか、より深みを増しているイメージまであった。「この人は一生、私たちの耳を裏切らない」という信頼感を持った。

時代がどれだけ変わり、価値観が変わろうと、大切な部分が揺るがない。ファンたちが毎回コンサートを楽しみにし、一気に少女のように戻るには十分すぎる理由である。

新しいものを生み出す

さて、年を取ってからしてはいけないことの一つに、「自慢話」というのがあるらしい。

「自分の若いころはもっと良かった」という言い方は、若者に嫌われるNG行為の真っ先に挙がる。

沢田研二の楽曲には『カサブランカ・ダンディ』をはじめ、過去を懐かしむ歌が多いが、本人は絶対言いそうにない。彼ほど今と昔をはっきり線引きしている人も珍しい。

ライブのMCでも、「阿久悠さんに反抗した武勇伝」とか「同じ時期に活躍していたスターたちの華やかな交友録や、今だから言えるコッソリ裏話」「豪遊した自慢」がどんどん出てもよさそうだ。少し聞きたい気もするが、ザ・タイガースの仲間とのエピソードはともかく、昔の自慢をしていたという話はあまり聞いたことがない。私が行ったライブでも、彼の近況と社会の動きについて、そして新曲について話していた。

そもそも、今はもう「武勇伝」という言葉自体が死語に近い勢いで、喜ばれなくなってきている。共感ポイントがほぼないセレブの内輪エピソードというのは、縦社会から横社会になった今、まったく冷え切った温度で世の中に伝わってしまう。

過去の栄光は、プレッシャーにもなる。周りに求められたキャラクターを完璧に演じれば演じるほど、本当の自分とどんどんかけ離れていき、自然体に戻るのは大変そうだ。

沢田研二は、栄光もプレッシャーも時間をかけて切り離し、現在、頑固なほど己の道を突き進んでいる。

ツアーで過去のヒット曲も披露はするが、新たな創作をしてどんどん発信し、ヒットを目指す姿勢と鼻息の荒さは、若手アーティストとなんら変わらない。

ファンに対する姿勢も徹底している。私生活を披露することもなく、出待ちにも応じない、プレゼントも受け取らない。それは、70年代から80年代にかけて、時代の風を読んでその上を行っていた「ジュリー」時代と同じだ。ただ、一つ大きく違うのは、さらけ出し方である。熱心なファンが訪れる〝ライブ〟という自分だけの場所で、自分の言葉と、自分のペースで活動している。

自分の〝好き〟を貫くためには、嫌われる覚悟が必要だ。ザ・タイガースで彼とともに活動をした瞳みのるも、著書『ロング・グッバイのあとで　ザ・タイガースでピーと呼ばれた男』(集英社)で、沢田研二の人柄について、こう書いている。

「沢田という男は恥じらいが有り、万事このようで多くを語らないが、行動で表す男っぽい奴、口先だけで調子よく語ることはなく、どちらかと言えば口下手で言い訳をしないタイプ、それによって人に誤解を与える」

そのうえで、長年ソロで第一線を走り続けてきたことを絶賛する。

「彼がこれまでに、ザ・タイガースで、またその後、ソロで常に第一線でやってきたことは本当にすごいと思う。おそらく現状に満足しない、また、妥協しない不屈の精神がなければできるものではない」

誰でもいつか、年を取っていき、長年の経験でこびりついたプライドとさよならすべきターニングポイントが訪れる。過去の栄光にしがみつかず、今の新しい自分で行く！　これができればきっと清々しい。

しかも現代の多様性の価値観を持つ若者たちは、ニュートラルな感覚でさまざまなストーリーを楽しんでいる。沢田研二のライブも、若者が増えているという。何歳になろうが新たなものを作ろうと真っ向勝負してくるその姿を、すんなりと受け入れてくれる可能性はおおいにあるのだ。

沢田研二の現在の再ブームは、「昔は良かった」的な空気に屈しなかったゆえの賜物(たまもの)だと思う。生きにくいご時世にイライラしながらも、一番生きにくいスタイルを貫き通し、もう一度追い風を吹かせている。その姿は、ハラハラするが、しかし同時に、見ていて本当に勇気をもらえるのだ。

第3章

トライ＆エラーをいとわない

沢田研二だけにしかできない挑戦

前章までは、沢田研二のまばゆいばかりのスター歴と愛される理由を追ってきた。しかし、沢田研二の魅力はむしろ、時折そんなスター歴を自ら危機にさらすような〝賭け〟に出ている点にある。果たしてどのようにしてそうなったのか、と驚くくらいのイメージチェンジも何度もしている。

特に1980年代は、新曲をリリースするごとにイメチェンを図っているといってもいいくらいだ。私も昔は万華鏡のようにクルクル変わる彼の七変化を、ただただ「面白い！」と見ていたけれど、自分が中年となった今となっては、とても心に響くものがある。この人はどれだけの覚悟を持ってさまざまな表現方法を試し、多くの人の期待に応えてきたのだろうか、と。

果敢にあの手この手で挑戦を繰り返す姿は、最高に眩しい。紆余曲折、試行錯誤している轍から生み出された、特別な輝きがそこにはあった。

一番強烈な印象だったのは、第一章で紹介した『TOKIO』だ。彼の代表作の一つであり、歌謡史においてもエポックメイキングになった1曲である。聴けば聴くほど、あらゆる角度で沢田研二のチャレンジを語る上で外せないので、当時、周囲の戸惑いにも似た反響も含め、本章でもう少し深掘りしてみたい。

『ＴＯＫＩＯ』のテレビ初披露となったのは、１９８０年1月1日午前0時の『ゆく年くる年』だった。戦後の経済成長が頂点を迎え、同時にさまざまな矛盾点も顕在化した70年代が終わり、１９８０年に入った瞬間、大きなパラシュートを背負い電飾をつけたジュリーが、「空を飛ぶ！」と歌い始めたのだ。楽曲の斬新さ、演出の絢爛さ、初披露のタイミング、すべてにおいて彼に新時代の到来を感じた人は多かっただろう。

ちなみに、この『ゆく年くる年』とは、現在紅白歌合戦のあとに放送される、寺社の様子が映されるＮＨＫの番組とは別のものである。当時はＮＨＫに対抗する形で、民放の東京キー局が連携し、『ゆく年くる年』を毎年持ち回りで制作し、それをすべての民放局で流していたのだ。これは各局の競争心を非常に駆り立てたようで、毎年、担当の局はプライドと意地をかけ制作していた。１９８０年前後は、非常にバラエティー豊かな内容となっていたのだ。

『ＴＯＫＩＯ』のプロモーションを仕掛けたのは、沢田研二のプロデューサーを務めていた加瀬邦彦。沢田研二より7歳年上で時代の先を読む力があり、奇抜な演出に打って出る行動力も備えていた彼の存在は、沢田にとってとても大きなものであった。

ただ、この曲はもともと1979年にリリースされる予定だったという。それが、喜多条忠作詞・大野克夫作曲の『ロンリー・ウルフ』（1979年9月発売）が先にリリースされ、『TOKIO』は1980年にずれた形となったのだ。

『ロンリー・ウルフ』は、沢田研二自身もクオリティーにこだわり、ライバルだった萩原健一もうらやましがったという名曲だ。ところが売り上げは結局10万枚を切り、オリコンのランキングも18位と大苦戦することになる。「名曲なのになぜか伸び悩む現象」は歌謡界において往々にしてあるが、この曲もそれに倣うことになった。今聴いても、とても色気があり、映画のワンシーンのような趣がある。大野克夫のメロディーは『時の過ぎゆくままに』のような甘く切ない余韻が残る1曲だった。

しかし「次回は外せない」という意気込みが、『TOKIO』の大プロモーションに活かされることとなった。まさにピンチはチャンスとは、このことだ。

30代からのイメージチェンジ

『TOKIO』は33万8000枚を売り上げる大ヒットとなった。『ザ・ベストテン』では、当時大ヒットしていたクリスタルキングの『大都会』にはばまれ、1位の座を惜しくも逃しているが、斬新さでは間違いなく飛び抜けており、その衝撃度は、他のヒット曲の追随を許さなかった。

沢田研二が背負う横幅約12メートル、高さ約7メートル、奥行き約6メートルを必要とする大きなパラシュートと、電飾をちりばめた絢爛豪華な〝衣装〟は見た目にもワクワクしたし、「ト・キ・オ！」と両手で顔を隠す振りつけを当時真似した人も多いだろう。

コピーライターの糸井重里が手掛けた詞は、一度聴いただけでは意味がわからないパンチ重視の言葉がズラリ。街が空を飛ぶという設定は面白く、不思議な開放感と遊園地ぽさがあり、それまで、大人の世界の歌手というイメージだったジュリーに対して、一気に親近感を抱くきっかけにもなった。

ちなみにリリースから1年後の1981年、バラエティー番組『オレたちひょうきん族』（フジテレビ系列）でビートたけしが、『TOKIO』の衣装と、ピンク・レディーが『UFO』でかぶっていた銀色の帽子をアレンジした「タケちゃんマン」というキャラクターを誕生させる。『TOKIO』の過度な演出と衣装には、お笑い芸人の創作意欲を疼（うず）かせる面白さがあったということだろう。タケちゃんマンは太眉毛や提灯パンツなど、ビートたけしのデフォルメが入っているものの、滑稽にもなりかねない衣装を着こなし、様になったジュリーはさすがだと思う。

話を戻そう。『TOKIO』リリース当時、沢田研二は32歳。アイドルとしてはもちろんだが、世間的に見ても決して若くはない。会社勤めなら後輩ができ、チームリーダーなど、一つのグループを任されるくらいの年齢だろうか。そのタイミングで、これまでのキャリアとはまったく違う方向性、しかもトリッキーでナンセンスな世界を展開したのだ。

パラシュートのアイデアは沢田研二本人だが、この奇抜な発想を見事形にしたのが、彼の衣装を担当したデザイナーの早川タケジだった。超特大サイズのパラシュートは、衣装というよりセットのようで、紅白歌合戦などの特別番組のためではなく、シングル曲にここまで予算をかけたのは彼だけで、きっとこれからも現れないだろう。

1980年1月1日午前0時、沢田や加藤たちはこのプロジェクトを初披露した瞬間、ウキウキしただろうか。それとも、とてつもなく怖かっただろうか。勝手な想像だが、震えるほど怖かったのではないか、と思うのだ。

32歳で背負ったパラシュートは、ともすればそればかりが目立ち、彼がGS時代から追い求めてきた、音楽性や歌唱力という一番アピールしたい部分が雲散する恐れもあったはずである。それをあえて自分に課したということに、彼らの『TOKIO』にかける気合と高揚、そして、何よりも覚悟を想像するのである。実際、沢田研二はこの曲で、『O

Ｈ！ギャル』『ロンリー・ウルフ』と続いた下落傾向から抜け出し、新時代を切り開くことになる。

彼らだけではなく、テレビ側もこれを受け入れ楽しんだというのは、昭和の好景気も関係しているだろう。コスパ・タイパ重視の現代なら、企画段階でＮＧだ。『ザ・ベストテン』では米国デスバレー国立公園の砂漠地帯で歌うなど、ド派手な演出が話題になった。第2章で登場した『ザ・ベストテン』のプロデューサーだった山田修爾の『ザ・ベストテン』（新潮文庫）には、「沢田研二が開いたベストテン美術史」という項がある。彼の衣装や小物使いの斬新さに、ディレクターや美術デザイナーが触発され、ジュリーが登場するごとにセットが豪華になっていき、それが番組自体の大きな特徴になっていったという。

沢田研二も番組スタッフの熱量に応えて発奮し、より華やかな演出を仕掛け、一等賞を目指した。思いきった挑戦は見ている側の刺激となり、思わぬ発展をもたらす。そしてそれが回り回って自分の刺激にもなる。最高のサイクルである。

エラーか成功か

『ＴＯＫＩＯ』ではつらい別れもあった。沢田研二はこの曲で、ソロデビューから10年間ともに音楽活動を続けていた井上堯之バンドとパートナーシップを解消している。トラブルになったわけではなく、結果的には、プロデューサーの加瀬邦彦が若いバンドに切り替えるよう決断したのだが、あの大きなパラシュートは、きっかけの一つになったようだ。

井上堯之は、ザ・スパイダースのリードギタリストで、解散後に沢田研二や萩原健一らとPYGを結成。PYGが自然消滅してからも、沢田研二の強い要望で音楽的・精神的にサポートを続けていた盟友である。彼とのパートナー解消が、沢田研二にとって不安が相当大きいものであったことは想像に難くない。

NHK-BS2の『沢田研二スペシャル　美しき時代の偶像』の第3部に井上がゲストとして登場し、当時のエピソードを懐かしそうに話している。

沢田研二が「(井上は)『TOKIO』でね、電飾ピカピカつけてイヤになったんですよ。こんなんとはやってられんって」と冗談交じりに言うと、井上はそれに対して、「本当です！」と笑いながらも、

「(『TOKIO』の頃には)役に立てるところが見つからなかった(中略)。右に行けと言われれば右に行ければよかったのに、僕らはやじろべえになってしまった。彼のせいでも何でもないんです」

と答えていた。トークの司会を務めていた上岡龍太郎が『TOKIO』について、

「僕は好きですけどね。あれをできるのはあなたしかいないでしょう。ジュリー以外、誰がやるねん。あれこそがあなたの守備位置でしょう」

そう沢田にかけた言葉に、井上はしみじみと、「なるほどね、僕たちはわからんかったんですよね」とやさしい声でつぶやいていたのが印象的だった。

こういったやり取りからも、『TOKIO』が、沢田研二の音楽と、その努力を間近で見守ってきた人たちが迷いながらそれぞれの決断し、彼を新たなフェーズに押し上げた1曲だったことがうかがえる。

大きな変化をともなう挑戦をするときは、高い壁がそれをはばむ。この『TOKIO』に関しては、ファンからもパラシュートだけはやめてほしい、という投書が多く届いたという。

ファンや視聴者が求めるイメージはそうそう変わらない。それどころか、永遠に、自分が大好きな今のまま、ずっと同じであってほしい、とさえ願うものである。

美しい外見、優等生もしくは不良のイメージ、楽曲の内容。多くのスターが凝り固まっていくパブリックイメージを壊すため、必死でタイミングを探し、作品の手を借りたり、ルックスのイメージを変えたり、模索する。それが、これまでの自分を支えてくれた大切な仲間との間に、少し切ない距離を生み、時には別れのきっかけにもなってしまう。

しかも、挑戦が奇抜であればあるほど世間の注目を集めるけれど、元のイメージに戻ることは難しい。しかし、当時の私が子どもながらに、沢田研二に親近感を持ったように、それまで違う方向を向いていた人を振り向かせることもできるのだ。

つい、「前のほうが良かった」と言われることを想像して委縮する。

しかし、ある人にはエラーに見えていることが、他の誰かには大成功に見えている。大きく変わるときには、これまでと違う何かが手に入る。『ＴＯＫＩＯ』の底抜けの明るさに、今は、そんな勇気をもらうのである。

攻守の切り替え

『ＴＯＫＩＯ』の次のシングル曲は、同じく糸井重里・加瀬邦彦コンビによる『恋のバッド・チューニング』（１９８０年４月発売）。ピコピコと鳴る電子音やリズムを刻むギターのカッティングなど、『ＴＯＫＩＯ』とはまた違ったにぎやかさを前面に出した1作だ。

小道具も、虹色に光るギター、ビニール製の衣装と、全体的にギミックに満ちていた。ライトの当たり具合によって色が変わるカラーコンタクトは実験的だったが、怖がる子どもも多く、ウケる層が限られるものではあった。それでも果敢に『ＴＯＫＩＯ』以上の何かを視聴者に提供しようとする意気込みは十分に伝わった。

守りに入らない、攻めの姿勢。『TOKIO』からの「今度はどう驚かせてくれるの？」という期待を受け、そのプレッシャーを新たな挑戦の糧にしているようだった。

「ボクは流行歌手やから、売れているということがすべてだと思う」（平凡出版『週刊平凡』1982年9月16日号）。

その言葉通り、沢田研二の1980年代のシングルを見るとこの後は、やれることはやり尽くすといった、ある種の試行錯誤を繰り返しているように思える。

『恋のバッド・チューニング』の次は、さらに過激に攻めるかと思いきや、『酒場でDABADA』（1980年9月発売）で、再び阿久悠とのタッグが復活する。しかもこの時の衣装は、シックなダークスーツ。歌詞には性悪女と酒場、そして墓場が登場し、「ダバダ」というスキャットを奏でながら、端から端まで男の世界観が作り上げられた芝居のような楽曲だった。

売り上げ自体は『恋のバッド・チューニング』から下がってしまったが、ほぼスッピンであろうと思わせる顔に髭を貯え、タバコをくわえるジャケットも含め、突然近未来へ跳ね上がったジュリーが原点回帰したかのようで、不思議な安堵感がある。

その後、70年代の『危険なふたり』といったロマンチック・王子モードを彷彿させる

『おまえがパラダイス』（1980年12月発売）、『渚のラブレター』（1981年5月発売）が続く。どちらもメロウな曲調で聴くも良し、歌うも良し、好きな女性の前で歌うのも良しの名曲だ。しかも『渚のラブレター』は久々のオリコン1位に輝いたが、次のシングルでは、まったく違うスキャンダラスかつアグレッシブな楽曲『ス・ト・リ・ッ・パ・ー』を発表し、ファンを再び騒然とさせたのだ。

『ス・ト・リ・ッ・パ・ー』は久々の30万枚超えで、36万枚の大ヒットを記録。次の『6番目のユ・ウ・ウ・ツ』はベストテン3位となり、当時、社会現象や注目を集めている人物を取り上げるTBS系列の情報番組『そこが知りたい』（1982年8月31日放送）でも密着されるほどの勢いを見せている。

そして1983年1月1日には、井上陽水作詞作曲の『背中まで45分』をリリース。浮遊感とラグジュアリーなムードが漂い、ジュリーの甘い声質がこれでもかと堪能できる贅沢な楽曲だ。ただ、サビがおとなしいせいか、残念ながらオリコンランキングは最高20位止まり。『ザ・ベストテン』ではベストテン入りを逃し、最高15位にとどまった。

1984年2月に『どん底』をリリースしているが、これは、ジュリー本人が自身の現状を重ねて「どん底です」と自虐を交えて話すくらいの寂しい売り上げ数となってしまう。歌詞もまさに男と女の別れ際、最悪なシチュエーションが描かれてはいるが、心地よい開放感と、自虐的に笑い飛ばす明るさがあり、ファンのなかではコアな人気がある1曲なのだが。

私が強烈に覚えているのが46枚目の『女神』（1986年10月発売）だ。阿久悠が『麗人』以来4年ぶりに作詞したもので、気だるいのに情熱的。オリエンタルな佐藤隆のメロディーが、エロスをより煽った。

ロングソバージュにし、左胸に乳房の型やキリストの刺繍がついた、両性具有的な衣装を着こなすジュリーは、70年代後半から80年代に培ってきた色気と退廃と覚悟を、丸ごとオーラに変えたかのように刺激的だった。彼の挑戦と同時に、全盛期の沢田研二の楽曲の多くを生み出した阿久のプライドを感じさせる楽曲だった。

沢田研二らしく、沢田研二にしかできない世界を、70年代とはまた違ったパワーで歌っている。新しい挑戦を繰り広げながら、古くからのファンに馴染みのある楽曲を両方試す、いわば保守と革新を交互に行うようなシングルリリース。80年代のジュリーは、焦りとジレンマをエネルギーにし、あらゆる方向にアイデアをプラスする、それを繰り返した時代だったといえるだろう。

周りが何を求めているか必死でアンテナを張り、ズレていることもある程度承知で策を練る。「売れているということがすべてだと思う。売れるということが前提になければ何をいっても始まらない」という彼の言葉通り、新たな才能も、昔から続くコンビネーションも、あらゆるものとコネクトしながら、すべての可能性を投入して挑戦している。

もがき、あらゆる方法を試して生まれた作品は、今聴いても40年前のものとは思えないほど新鮮である。試行錯誤は最高にかっこいい。この時期のジュリーの楽曲を聴いて思うのだ。

「一生懸命」というエネルギーは、そのときどれだけ迷っていても、素晴らしいものを生み出す。自分の人生を振り返ってみても、新しいことをし、これでいいのか不安ばかりだったときこそ、きっとすごいアイデアとエネルギーをもって前進していた時期でもあったのだと思う。

とはいえ、一番もがいた時代は思い出すのがつらいのも正直なところ。向き合い、「ああ、あれはあれで良かったんだ」と肯定的に思えるのは、年齢を重ねた結果、至る境地なのかもしれない。

自分の力で進む

沢田研二はさらに1985年、曲のイメージだけでなく、自身の活動環境を大きく変える決断をしている。

同年5月、デビュー当時から所属していた渡辺プロダクションから独立し、個人事務所のCO-CoLO（ココロ）を設立したのである。レコード会社もポリドールから東芝EMIに移籍し、事務所と同名のバックバンドを結成している。沢田研二より年上も多い、大ベテランの技巧派が集まった。EXOTICS（エキゾティクス）は、すでに1984年の夏に解散していた。長年彼のそばにいて、その魅力を引き出してきた加瀬邦彦もプロデュースを離れた。

さらに、同年6月には自叙伝『我が名は、ジュリー』（中央公論社）を刊行している。この本には歌手としての経緯や率直な心境がインタビュー形式でまとめられており、それだけでも十分貴重なのだが、人間ドックの結果、学生時代の通知表、戸籍抄本の写しまで掲載されている。そして同時期にリリースした44枚目のシングル『灰とダイヤモンド』（1985年8月発売）の歌詞は、彼自身の心情を思わせる。ターニングポイントにふさわしい大放出である。

独立を機に、「大スター・ジュリー」とは違う、沢田研二という一人の人間であることを知ってほしい、という意図があったのかもしれない。沢田研二は還暦の際に出演したラジオ番組で、独立の意義をこう語っている。

「日本の中で歌手、沢田研二の名前を汚さずやっていくのがどんなに大変か。でも、頑張ってこれて、今日があるということはもう独立したことがすべてですね。だんだんだんだん、自分ですべてを考えられるようになっていったんですね」（前掲『今日は一日〝ジュリー〟三昧』）

多くの場合、独立とは「自由の獲得」である。さまざまなケースがあるが、自分で選び、自分の力で生活を成り立たせていける。もちろん同時に、自分を守ってくれていた大きなバックアップを失う怖さもともなう。沢田研二は、レコードの売り上げが下がり、明らかに失速していた時期にその決断をした。

彼はその年の末、雑誌のインタビューで、こう語っている。

「でもね、ギンギンにやって『今でもアイドルです』と言ったって、結果が伴わなければ、気持ちの悪いオジさんだ、と言われるだけの話だもの。だから、何か今までと少し変えるときには、『いや、これまでどおりでもぜんぜん大丈夫なんだけどね。でも、こっちもやってみようかなと思って』じゃなくて、やっぱり一応『負けた！』と言って、区切りをつけるというか、片づけてから始めないと、自分でも納得いかないし」（集英社『コスモポリタン』１９８５年12月20日号）

沢田研二の挑戦を見ていると、ステージ上の派手なパフォーマンスとは裏腹に、とても堅実だと思わされる。前を向き、努力を重ね、失敗をどう活かせばいいか考え続けている。時代が変わりこれまでのやり方が通じなくなったら、自分に合う場所を探し、したことのないジャンルにも柔軟に手を伸ばす。そして、チヤホヤされても、浮かれるどころか「これでいいのか、これでいいのか」と、内省する姿がうかがえる。

先の『今日は一日〝ジュリー〟三昧』でも、「大変なこととやるのが好きなんですよ。ひねくれもんですね。ホントにもうね、やめなさい、と言われても、やるといったらやる」と、苦笑いしながら自らの性格を語っていた。

余談であるが、２０１９年3月に引退したイチロー選手が、記者会見でこんな発言をしていた。

「地道に進むしかない。進むだけではないですね、後退もしながら。ある時は後退しかしない時期もあると思うので。でも自分がやると決めたことを信じてやっていく。でも、それは正解とは限らないですよね。間違ったことを続けてしまっていることもあるんですけれども。でもそうやって遠回りをすることでしか、本当の自分に出会えないというか」

一つの道を極める人は、その華々しく見える活躍の裏で、常に自問自答し、目の前のことに一つひとつ答えを出し進んでいるのかもしれない。

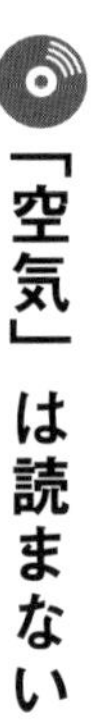

「空気」は読まない

全盛期の試行錯誤はもちろんだが、沢田研二の最大のトライ&エラー期といえば、テレビから姿を消した、平成の時代ではなかっただろうか。1990年頃から、長年彼の主戦場だったテレビの歌番組との相性がずれていくことを感じ、距離を取っている。役者活動では朝の連続テレビ小説『はね駒』（NHK）などの演技で大きな評価を得ていたものの、歌手活動はあくまでライブ中心にこだわるようになった。

当時は歌謡界だけでなく、世の中も大きく仕組みが変わってきた頃だった。異常なほどに浮かれたバブル景気がはじけ、「気楽な稼業」「勝ち組」とされていた会社員に、リストラという不穏な言葉がつきまとうようになる。終身雇用や年功序列といった、1960年代後半以降の高度成長期、大量生産を支えるために敷かれた日本の大企業システムが揺さぶられた時代だったのだ。

沢田研二と同じ団塊の世代は、ちょうどこの時、40代。その淘汰される古い価値観の中心世代、タテ社会の住人として風当りが強くなっていった。ちなみに、１９９０年３月27日号の『ＡＥＲＡ』（朝日新聞社）に、他の世代から見た「団塊の世代の八悪」が紹介されている。

①過剰意義づけ これがないと動けない
②理論過多 周りにいるとうるさい
③押しつけ 自らの主張の行きつく先を押しつけたがる
④緩急不在 何事にも積極的だが、せっかちすぎる
⑤戦略不在 目先の戦術だけに強く、長期的ビジョンがない
⑥被害者意識 他世代への加害者意識はなく、もっぱら被害者意識ばかり
⑦指導力不足 過当競争の中でリーダーシップを忘れてきた
⑧無自覚 以上の点に全く気づいていない

散々な言われようである。生まれた年だけで、一括りにされてはたまったものではない

が、中年層の肩身が狭くなっていたことは間違いない。

２０００年代に入ると、さらに世間の価値観も、競争の中で勝つことを目指すより、それぞれの個性を大切にしながら関係性を築くことが重要になっていく。加えてインターネットをはじめとするＩＴが普及し、情報の受け取り方も急変していった。

そんななか、沢田研二は頑なに我が道を進むスタイルを続けていく。２００２年には「ジュリーレーベル」というプライベートレーベルを設立し、楽曲の内容も、ファンや大衆におもねるものではなく、自身が伝えたいことを中心に発信。ライブでは昔のヒット曲をほぼ歌わずに新曲を歌い、一時期は古くからのファンも足が遠のいたほどだった。

しかし、２００８年11月29日と12月３日に行われた還暦コンサート『人間60年 ジュリー祭り』（京セラドーム大阪・東京ドーム）が起爆剤となり、再びその圧倒的実力を知らしめ、ファンが戻ってくる。第４章で詳述するが、このコンサートが彼のキャリアにとって、大きな意味があったのは間違いない。

しかし、その後も彼は〝安全運転〟をせず、２０１１年の東日本大震災を機に、コンサートのＭＣでは芸能人にとってイメージダウンにもつながりかねない政治的な発言や、メッセージ性の強い歌詞も増えるようになる。この頃にはＴｗｉｔｔｅｒ（現・Ｘ）をはじめとするＳＮＳの普及により、コンサートで彼が発する、ファンや観客に対する厳しい発言も取り沙汰された。テレビ出演をしていないので、沢田研二がどんなパフォーマンスをしているかは一般ではほとんど知る機会がない。

しかし過激な発言は、SNSで拡散され、ネット記事などで伝わってくる。そのため、昔のスターで扱いづらい人、というイメージだけが先行していった。ネットを通じ、情報の一部分が切り取られ、検証もなく流れてくる時代と沢田研二は決して相性が良いとはいえなかった。

たとえば、2015年1月20日に開催された『2015 沢田研二正月LIVE』（東京国際フォーラム）では、こんな出来事があった。約2時間近く歌い続けた後、彼はラストのMCで、最近の世界情勢について語った。すると客席から

「歌ってー!」

という声が上がり、これに対して彼は

「黙っとれ!　誰かの意見を聞きたいんじゃない。嫌なら帰れ!」

と一喝。これもネットで拡散され、それがテレビで取り上げられ話題になった。

しかし、2017年には「忖度」が流行語となり、2020年頃から「同調圧力」という言葉が広く認知されるようになり、風向きが変わり出す。空気を読みすぎることへの違和感が注目されるようになっていくのだ。

彼のきつい言い方に「一言多い、厳しすぎる」という指摘はまだまだあるものの、自分のやりたいようにやるライブ構成や、意思を曲げない生き方は、「同調圧力に屈しない強さ」として評価されることも増えてきた。そんなふうに、彼自身は変わっていないが、時代が変わり、向かい風が追い風になってきた部分もある。ただ、それは沢田研二が、自身への無理解な言葉に腹を立てながらも、腐らず燃え尽きず努力を重ね、ライブと楽曲制作を続けていったからこそ巡ってきたものだろう。

しかも、平成の中盤からは、ＹｏｕＴｕｂｅなどの発信ツールが増え、テレビ離れが加速。ライブをメインに切り替えるアーティストも増えていく。１９９０年代に一世を風靡した安室奈美恵も２００７年頃からテレビ出演を減らし、ライブ活動中心に移行している。そんな時代の流れから考えると、90年代に「自分にお金を払ってくれる人にだけパフォーマンスをする」というスタイルに変えたジュリーは、ある意味、時代の先を読んでいたともいえる。

２０００年9月リリースした『Ａ・Ｃ・Ｂ』の中には、「続けることしか信じられない」という歌詞がある。沢田研二の作詞だが、自信を失わず、周りの評価に揺さぶられず続けることは、大変な意志の強さと努力が必要だが、目標をかなえるには、一番確実な方法なのだ。

プライドとモチベーションの位相

近年、沢田研二の存在を広く世に知らしめるきっかけになったのが、2018年10月17日に起きたさいたまスーパーアリーナでの〝ドタキャン騒動〟だった。

午後5時開演予定の公演で、7000人のファンがすでに会場に集まり開催を待っていたにもかかわらず、4時頃に急きょ中止がアナウンスされた、というもの。まさに土壇場での公演キャンセルで、どう考えてもファンは気の毒、ジュリーにとっても、最悪のエラーとなるはずだった。

沢田研二は事前に所属事務所とイベント会社から9000人の集客と聞いていたが、実際は7000人程度しか入っていなかったという。しかも、座席（の一部エリア）が死角でもないのにつぶしてあったことをリハーサルでモニターを見て知り、最終的に自身で中止を決めたというのだ。開演の1時間前まで中止の告知がずれ込んだのは、公演をしてほしい事務所やイベンターとの押し問答が続いてしまったのが理由だった。

この出来事は大きなニュースとなり、世間を騒がせた。SNSでは「ただの強情」「観客が一人でも演じるのがプロ」という厳しい意見が飛び交った。後日ワイドショー番組でも数多取り上げられ、彼は注目を一身に浴びた。私もニュースを見て驚き、コメントを閲覧した。沢田研二の決断そのものより、「コンサートってこんなにギリギリで中止できるんだ」ということに先にビックリした人も多かった。

しかし、この騒動が興味深かったのは、擁護派も多かったことである。テレビでは、コンサートやイベントの経験がある多くのコメンテーターが、自身の体験と重ねて、観客が集まらない中でイベントをするつらさに言及し、沢田研二に理解を示した。さらに、落語家の立川志らくはTBS系列の情報番組『ひるおび!』で「文句を言っていいのは当日行ったお客だけ」と持論を展開した。

ビートたけしは、当時レギュラーを務めていたTBS系列の情報番組『新・情報7daysニュースキャスター』で、「まあね、我々みたいにジジイになったんだから、ワガママになるんだよ。年取って有名になって売れてくると、だんだん図々しくなるんだよ、我々。私もそうですけど」としながらも、「よくこれだけできるね。俺だったらとっくにやめてるよ、疲れちゃって」と、全66公演を回るライブツアー『沢田研二 70YEARS LIVE「OLD GUYS ROCK」』の内容に感心していた。

確かに沢田研二のツアーは公演回数がとても多い。さいたまスーパーアリーナも、その7000人分は売れているのである。決して不人気ではないのだ。普通に考えれば、そのまま開催したほうがダメージは少なかったはず。沢田研二は誰からも批難されないし、かなりの空席が出るほどチケットが売れなかったことも、コンサートに訪れたファン以外は気づくことがなく、さほど騒がれることはなかっただろう。

けれど、彼はキャンセルを選んだ。ファンだけでなく、自分にも大変リスキーな選択をしたように見えるが、だからこそ、良し悪しは別として、満席の中で歌うことにこだわる大スターのすさまじいプライドと覚悟を見せつける結果にもなったのだ。もちろん、この5年後にリベンジが成功したから前向きに思い出せるのではあるが。

沢田研二は翌10月18日、自宅前に集まった報道陣を横浜市内の公園に移動させ、そこで謝罪会見を行った。これはニュースでも流れ、久々にテレビで沢田研二の姿を見たという人も多かったようである。

大嫌いなマスコミの前に自ら出て正装で釈明、謝罪をすることを選んだことで、彼にとっても、キャンセルという決断が断腸の思いであったことが伝わってくる。

「僕にさいたまスーパーアリーナでやる実力がなかった。本当に申し訳なく思っています」

「ファンの方たちには甘えさせてもらっているのかもしれないけれども、初めて僕のコンサートを見に来られた方もたくさんいらっしゃると思うので、そういう方たちには本当に

「僕はやるのが目的ではない。いっぱいの観客の中で歌うのが目的と。やるならいっぱいにしてくれ、それが無理なら僕はやりませんと。そりゃ無理だというのなら断ってくれといつも言っている」

申し訳なかった」

この直接の謝罪があるとないとでは、大きく印象が違っただろう。対面での謝罪は、表情や声からさまざまなことが伝わる。スポーツ報知ウェブサイト内のコラム「コラムでHO！」に掲載された記事（2018年12月21日配信）では、最初こそ「呆れた」としていた記者が、その27分間の会見を振り返り、感想をこう記している。

「録音したレコーダーを聞き返すと、弱々しいジュリーの声にはファンへの申し訳なさと自身の信念がにじみ出ている。会見を終え、ゆっくりと坂を下りていくジュリーの哀愁漂う背中は今でも忘れられない」

そして、ドタキャンから3日後に開催された10月21日の大阪狭山市SAYAKAホールで、沢田研二は冒頭のMCにて、改めてドタキャンに触れ「沢田研二の実力不足です」と謝罪しながら、次のような言葉でリベンジ宣言をしたのである。

「自分は厄介な人間です。あの日僕は立ち止まりました。神経が違和感を覚え、心が揺れ、体幹が大きくブレました。今回も僕の行動により、さいたまスーパーアリーナにお越しいただいたお客様に不快な思いをさせたのは事実です。これはすべて決断を下した沢田研二の責任です。（中略）僕は旗を揚げました。それは白旗ではありません。情熱の赤い旗です。もう一度さいたまスーパーアリーナの客席を満杯にするという新しい目標ができたことを嬉しく思っています。（中略）ここを新たな出発にして、これをモチベーションに、あと10年はやりたいです」

「席が埋まらなかった」という、アーティストにとって屈辱的な現状も含め、自分の言葉で説明、謝罪。さらに間を空けず、すぐにリベンジを大切な人（ファン）に宣言する。「情熱の赤い旗」という言葉も、「ファンとの約束を忘れない」という意思表明の役割を果たすのに、非常に有効なキーワードとなった。

そして何よりも、「これをモチベーションに10年続ける」という、さらなる長い活動を約束する。これはどれだけ、ファンにとって頼もしい言葉だっただろう。

失敗をしたら、その再挑戦を次の目標にする。しかもすぐに。そうすることで、ネガティブな出来事は、一瞬にして、自身を駆り立てるモチベーションとなる。応援してくれる人のテンションも上げる。失敗が許されず、やり直しがきかないと思わされている今の時代、なんとも明るい切り替え方に気付かせてもらった気がする。

そういえば、彼は１９８５年のインタビューでも、こう答えていた。

「いつだって修正可能の人生だもの」（前掲『コスモポリタン』1985年12月20日号）

人生は、そう簡単に詰まないのだ。

理解者（ファン）との向き合い方

しかし、これらのトライ&エラーが多くの人を振り回しているのも事実。それでも沢田研二が「我が強い、面倒な職人気質のアーティスト」で終わらなかった最大の理由は、ファンとの強い信頼関係だ。

ドタキャン騒動では、1時間前の公演中止にもかかわらず、怒っているファンがほぼおらず、それどころか、ほとんどの人が「ジュリーが健康ならそれでいい」と安心する様子を見せたのだ。

ワイドショー番組でこの様子が流れたことで、激しいジュリーバッシングの風向きが変わった。彼の謝罪も大きな影響があったが、それ以上に、ファンたちの姿は世間を納得させる威力があった。そして、これほどまでにファンに許される沢田研二の歌手人生と現在の魅力について世間は強く関心を持つに至ったのである。

2018年11月28日のかつしかシンフォニーヒルズ・モーツァルトホールでのライブで

は、

「さいたまスーパーアリーナに来た人たちが文句を言わないと信じられた。それを（信じられた）僕は嬉しかった。ライブで、肌で感じるファンの人の気持ち、あの場所に来てくれて、それを許してくれたファンが偉いと思う」

とジュリーがMCで語ったというが、本当にその通りだろう。プライドを貫いたのは、ジュリーだけではない。ファンでもあるのだ。

沢田研二とファンとの関係は、本当に不思議である。前述した通り、彼は客席に向けてきつい言葉で注意することも多いという。しかし、それは今に始まったことではない。ジュリーを追い続けてきた國府田（こおだ）公子の著書『沢田研二大研究』（青弓社）では、ソロデビューして間もない1972年のニューACBライブおいて、次のような発言が書かれている。

「またファンの人たちとの間にはね、許し合わないかんのやけど僕はそれをしとうないたちや。いまするといかんと思うわけなんや。近い将来っていうかね、もうちょっとたったらどんなことでも許し合える、そういうファンとの間柄になれると思うから、いまは一生懸命こうやない、こうやない、握手なんか関係ないんや、サインなんか関係ないんや言うとるわけ」

いわゆる〝塩対応〟タイプである。それでも、彼の才能、姿、歌声、パフォーマンスに惹かれ、50年以上応援し続けるファンも多い。その関係はもはや戦友のようだ。ドタキャン騒動でお互いを信じたあの展開こそ、1972年の頃から彼が目指した「許し合える関係」の一つの到達点といえるのかもしれない。

そして、リベンジ宣言から5年後の2023年、さいたまスーパーアリーナで行われた75歳の『まだまだ一生懸命』ツアーファイナル・バースデーライブは、見事1万9000人分のチケットが完売。そのエネルギッシュなステージに大歓声が響き、5年前は痛烈な批判にまみれたTwitter（現・X）が、称賛の嵐で埋め尽くされていた。

沢田研二とグループ・サウンズ時代からの盟友であり、『時の過ぎゆくままに』をはじめ彼の名曲を作ってきた大野克夫は、彼の原動力は「音楽への尽きない愛」と語っている。「彼には、精神的な強さもある。なにしろ僕の前で弱音を吐いたり、不安を口にしたことがない。悩みやつらいこともあったはずだけど、自分のなかで解決していたのでは？　声帯も鍛えていたと思うけど、そういう姿は見せたこともないですね」（クレタ・パブリッシング『昭和40年男』2021年6月号）

本気で戦ってきた人がいくつになっても一生懸命自分を磨き、本音で丸ごとぶつかってくる。その迫力と誠実さを、軽んじたり無視したりできるわけがない。

妥協したほうが楽な場面もそれをせず、周りに合わせて立ち振る舞うより今の自分を素直に伝えることを選ぶ。強いこだわりを持つ人は正直面倒くさくもあり、実際親しい人にこのタイプがいたら、振り回されヘトヘトになりそうだ。けれど、そのこだわりによって生まれた素晴らしい結果を見せられると、ああ、この人のすることをもう少し見続けたい、と思ってしまう。

今もライブに通い続けることを生きる目的として、沢田研二にパワーをもらっている人は大勢いる。

好きなことを一生懸命する人がいる。それに惚れこんだ人は、面倒な部分も理解し、応援する。応援されている人は、自然とその人を信頼する――。そういったサイクルが長く続き、しかも大きくなり、結果、こんな幸せな大逆転につながるなら、年を取るのも悪くないな、と思えるのだ。

第4章

老いを生きる・老いを楽しむ

年相応の役を演じる

誰でも年を取るけれど、それを自覚するタイミングは、人さまざまだ。ある日急に鏡を見て、シワの数に驚いたり、白髪の数にため息をついたり。目に見える変化だけでなく、少し前ならすんなりできていたことに時間がかかるなど、体力の衰えを感じることも増える。

しかし、そんな変化とも上手につきあい、楽しそうに年を重ねていく人が増えている。ありのままの自分を受け入れ、できることをマイペースで進めていく。そしてタイミングを見計らいながら、人生のアップデートもてらいなく計画することができる。

その姿を見ると、年を重ねるということは、悪いことばかりではなく、〝自由〟を手に入れることなのかもしれない、と思うのだ。

沢田研二も、そんなふうに思えるスターの一人だ。若い頃の麗しさはファンならずとも、誰もが認めるところである。だからこそ、いつまでも若さと美に執着しても不思議はないが、彼はそうではなかった。むしろ、老いていくのがとても楽しそうなのだ。

私が「ジュリーがいきいきとオッサンの道を進んでいる」と思ったのは、１９８０年代後半くらいから。彼が出演した映画やドラマを通じてである。この頃、歌手としては『女神』など、変わらず年齢不詳、美しくきらびやかなスター性を放っていたが、ドラマでは、彼の実年齢が見えるような、普通の役が増えてきていた。私はその役柄を通して沢田研二も、ちゃんと年を取っているのだなあと納得できた気がする。

例えば、１９８６年の連続テレビ小説『はね駒』（ＮＨＫ）では、ヒロイン・りん（斉藤由貴）の初恋の相手である松浪先生役を演じた。普段はやさしく物腰もやわらかいが、いったん教壇に立つと厳格な教育者、というキャラクターだった。

それまで、原子爆弾を製造し国家を脅迫する青年教師を演じた『太陽を盗んだ男』（長谷川和彦監督　１９７９年）や、三億円事件の実行犯役の『悪魔のようなあいつ』など、孤独で社会からドロップアウトする役が多く、どちらかといえばハードボイルドなイメージが強かっただけに、女学院の教壇に立つ姿は、ドラマという架空の世界ながらとても新鮮だった。

１９９１年には『ヒルコ　妖怪ハンター』（塚本晋也監督）で、妖怪退治に挑む頼りない考古学者、稗田（ひえだ）礼二郎役を熱演。驚きと怯えを隠さず、相棒となる思春期真っ只中の学生とともに、オタオタ、バタバタするヒーローらしからぬヒーローだった。本作の公開当時、沢田研二は43歳。少し疲れた感じもあり、それが役柄にとても合っていた。自然とジュリーも若い世代を支える中年層になっているのだと感じることができた。

映画を観るたびに、歌番組での「ギラギラのジュリー」という印象は薄れていき、1999年には、驚くほどナチュラルにオヤジ化した沢田研二と遭遇することになる。それが第2章でも触れた『大阪物語』だった。

ヒロインの若菜を演じたのは、この作品が映画デビューとなる池脇千鶴。沢田研二はその父親の隆介役だった。そして実生活でも妻の田中裕子が母親の春美を演じ、二人は「はる美&りゅう介」という夫婦漫才師という設定だった。

しかし、沢田の演じる隆介が、本当に情けないオヤジなのである。漫才以外何もできない。愛人を作っては捨てられ、そして最終的には、浮気で作った子どもの面倒見を、若菜や家族に押しつける。挙句の果てに、自分は家を出てしまうのだ。長女の若菜は14歳という多感な時期、父親に翻弄されながら、悩み、抗い、たくましく自立していく。スクリーンの端々で彼女の瑞々しさが大阪の風景と絡み合い、生命力たっぷりに描かれている。

対して隆介は、それなりにモテそうな風貌だったのが、物語が進むにつれて、容姿も言動もヨレヨレになっていく。色気はふんわりと漂っているのだが、ステテコ姿で髪はボサボサ、力の弱い視線を投げつつ、いろんなことから逃げてしまう。

それを演じる沢田研二に、歌手ジュリーのきらびやかさはまったくない。公開当時51歳、舞台が大阪で、彼のネイティブな関西弁が、よりダメ感を際立たせていたのかもしれないが、この映画で私は、ジュリーにとてもリアルな加齢を感じた。

映画を観終える頃には、隆介が沢田研二ということも忘れ、ヒロインの思春期と自立心に大きく影響する憎めないお父ちゃんにだけ見えていた。

融通の利かない父親像

そしてそれから7年後、彼は隆介とは違った、面倒なオヤジっぷりをスクリーンで披露する。２００６年、彼が58歳のときに出演した『幸福のスイッチ』（安田真奈監督）である。

こちらはダメダメどころか、仕事人間すぎて厄介なタイプだ。舞台は、和歌山県田辺市の小さな町。自然豊かな山間地域で、高齢化が進んでいる。沢田研二が演じるのは、ここで電器店「イナデン」を営む稲田誠一郎。「売ったものは売ってからも責任を持つ」というのがポリシーで、電器製品に疎いお年寄りのために、売るだけではなく、修理し、取りつけに走り回る。おかげで自分の家族は後回し。３人の娘も巻き込んで、町のために尽くすのだ。

この映画は公開後評判を呼びヒットしたが、安田監督はこれがデビュー作で、当時まったくの無名だった。ストーリーもドラマチックな展開はなく、小さな電器店が町にもたらす幸せが淡々と描かれる。しかも上映館数が限られた単館系の映画であり、よくぞ大スター・ジュリーが出演を決めたものだと驚く。

映画情報サイト『シネマファクトリー』に掲載された「『幸福のスイッチ』安田真奈監督 単独インタビュー」によると、監督がこだわった条件は「関西人のキャスト」だけだったという。しかしなかなか父親役が決まらず、制作会社のスタッフの提案で、沢田研二にダメ元で脚本を読んでもらおうと送ったところ、出演が決まったそうだ。

インタビュー記事には、沢田研二は脚本を読み「クックックッ」と笑い、出演を快諾したというエピソードが書かれているが、そこに描かれた頑固オヤジの姿に、心が響くものがあったのかもしれない。また、自分のペースで作品選びをできるようになった時期の彼だからこそ、こういった小さな良作への出演がかなったのだろう。

沢田研二の撮影日数は5日間だったそうだが、出演シーンはかなり多い。仕事に夢中、家族を顧(かえり)みないという典型的な昭和のオヤジを自然に演じ、愛しくも腹が立ってくるほどだ。

「相変わらず外ヅラの天才やな、あの人は。お客さまにはニッコニコ、私らには、やいやい、ケチケチ」

そう言い、常にふくれっ面で彼に対峙する次女の怜役を演じるのが、これまた、頑固そうな表情が板につく上野樹里。家族の中で、彼女が唯一、父親に遠慮なく不機嫌さを見せ、反抗し、言いたいことを言う。そして結局、仕事をとことんやる父親を見直していく。お互い最後まで憎まれ口を叩き合うが、じわっと距離を縮める感じが、なんともリアルで微笑ましいのだ。

この映画で沢田研二が演じる父親の働きぶりは、良いのか悪いのか、本当によくわからない。新品を売ればいいのに、職人気質で修理ばかり引き受ける。その結果、家計が回らなくなり、電器店なのに家の電気を止められ家族に迷惑をかける。気に食わなければ怒る、怒鳴る。そして何より一言多い。「役立たず！」とか勢いで言ってしまう。陰では、次女が東京から帰ってくるのをずっと楽しみにし、新しい布団を買って待っているという可愛い一面があるのに、キツい言葉ですべてが台無しだ。

この『幸福のスイッチ』で感じるもどかしさと微笑ましさ。私には団塊世代の大先輩がいるが、本当にデリカシーがなく、「ほかに言い方があるだろう！」と腹が立つことがしょっちゅうだ。けれど、何かしら気にかけてくれて、すぐに連絡をくれる。自分の時間を削って周りのために動いている。結局、なんだかんだと尊敬してしまう。沢田研二が電器製品を直すシーンで見せる丸い背中は、その人と重なってしかたなかった。不器用なやさしさが溢れ出ていた。

「ジュリーはずっと前から、早く年を取り、老けたかったのではないかな」と思うほど、オヤジ役を演じる彼は、本当にナチュラルで魅力的だ。着ているのはきらびやかなジャケットではなく、毛玉が見えそうなシンプルなセーターだが、味があった。

 〝還暦〟の概念を超える

人が老いを感じる共通のタイミングといえば60歳、「還暦」ではないだろうか。自分の保持している体力や見た目は別にして、「ついに赤いちゃんちゃんこか」などと、世間的には一つの区切りのイメージがある。一方で、これから自分がどう生きるのかという、意思表明をするチャンスにもできる。実際、沢田研二は60歳で、大きな試みに挑戦している。『幸福のスイッチ』の公開から2年後、２００８年に行われた還暦コンサート『人間60年ジュリー祭り』である。私は当時、沢田研二の歌手活動に関しては、ほぼノーチェックだった。
６時間半かけて80曲を歌い、しかも、それが素晴らしい内容だったことを、コンサート

に参戦した友人から聞いた。「ジュリー、すごいですよ」という友人の言葉以前に、そのときは、ジュリーという名前自体を聞くのが久々だったので、「懐かしい」という感情が先立った。

還暦コンサートは11月29日に京セラドーム大阪、12月３日に東京ドームの２回。改めてコンサートの構成を調べると、基本は４人編成のシンプルなバンド演奏のみ。特別なゲストも派手な演出もない。その状態で６時間、80曲も歌い続ける。誰か止めなかったのだろうか、と思うほど無謀ともいえる挑戦である。

なぜ、60歳に合わせた60曲ではなく、80曲だったのか。２０１３年2月9日に放送された『吉田拓郎の千夜一夜〝沢田研二〜41年ぶりの対談〜〟』（ＮＨＫ－ＢＳプレミアム）で、彼はこう振り返っていた。

最初は60曲の予定だったが、同い年の泉谷しげるが先に、夜通し60曲を歌う『泉谷展覧会60×60』を開催していたため、曲数を変えたという。

「泉谷と同じじゃ嫌だと思ってね。じゃあ88曲歌おうと。曲数は十分できるんですよ」

結局、予算や公演時間などの関係を踏まえ、80曲に落ち着いた、と説明していた。

「きっと僕のことをまだ見てない人がいっぱいいる。ヒット曲というものを全部やろう」と番組では語っていたが、この思いきりの良さもジュリーらしい。

6時間歌い続けるため、見栄え、音、動きなど考え、曲順を練りに練ったコンサートは、大成功となった。

「やっちゃったら、まあ、なんつうんでしょう。一番喜んだのがファンの方たち」

とても嬉しそうに笑う沢田研二を見て、吉田拓郎は「すっごい喉ですね」と、少々引き気味で驚いていたが、同業者としてリアルな反応だろう。

私がこの熱狂を体感することができたのは、2023年7月2日のWOWOWでの放送である。60年代のザ・タイガース時代の代表曲や、萩原健一らとのロックバンドPYGの楽曲も披露した。新曲と往年のヒット曲が混在し、ソロ時代の全盛期の大ヒット曲も、2000年に入ってからの曲もほぼ休みなく怒涛(どとう)のごとく歌い、しかもその歌唱力は揺るがない。観客の声援の大きさがライブの興奮を伝えていた。

沢田研二は歌うだけではなく、ステージ狭しと駆け回り、着替え、長い花道を走り抜けながらも、それでもコンサートの後半は、バテるどころか、前半よりむしろ気が満ちていっているように思えた。そして6時間半後、観客のボルテージは最高潮をキープしたまま終わったのである。

歌詞もすべてボードを見ず、フルコーラス。画面を通してでも、すごい熱量を感じた。現場にいた観客の感動はさらにすさまじかったことだろう。それにしても、日頃の努力の積み重ねがなければ、こんなとんでもない構成のコンサートが成功するはずがない。

彼は2003年に、音楽雑誌のインタビューで、次のように語っていた。

「僕がこういう世界に入ったきっかけは全く不純だったし。『やる事ないからやる』みたいな。別に音楽を信じ切って始めたわけじゃないし。でも、やっているうちに少しずつ信じられるようになって。『音楽にはパワーがある』と今は思えるし、実際にそうだしね。でも、これは教えてもらったことだけど、人がやってない事を堂々とやり続けると、ひとつの場所ができる、と」（『音楽専科SOUND PEOPLE第8号』音楽専科社）

周りに何を言われようが、コツコツと歌うことと表現することを続け、そして、自分の場所はステージだと、誰もが疑えない方法で見せつけた。そんな還暦コンサートだった。

沢田研二を応援し続けた同年代も、このステージを観て「60歳、まだまだこれから！」と力をもらったに違いない。

アクティブシニアとは

沢田研二のように6時間半をかけて80曲を歌えるのは稀有な例だとしても、今や60歳は、まだまだ体力気力があり、現役と捉えられる年齢だ。

近年、「健康寿命」という言葉が広く認知されてきていて、WHO（世界保健機関）が2000年に提唱した内容によれば、「病気やけがなどで完全な健康状態に満たない年数を考慮した、『完全な健康状態』で生活することが期待できる平均年数」とある。世界183カ国を対象に世界保健統計が発表されているが、日本は2019年度の統計で、第1位（74・1歳）に輝いている（2位はシンガポール、3位韓国）。

昔なら60歳といえば定年、現役リタイアというイメージが強かったけれど、今は違う。2021年4月に「改正高年齢者雇用安定法」が施行され、希望者は原則65歳まで継続して働けるようになった。それどころか、新たなキャリアに向かって、大学に入り直す人も増えている。

このように、60歳を過ぎてから改めて人生に向き合い、次の目標を立てて行動する動きは、団塊の世代が還暦を迎える2006年から広まっている。よく出かけ、仕事を持ち趣味を楽しむことに意欲的なシニアは「アクティブシニア」と名づけられた。

団塊の世代は、高度成長期とバブル期による「頑張れば目標に到達する」という成功体験もあり、自己主張も自立心も旺盛で、まだまだ気持ちは若く、人生を楽しもうとする人が多いという。確かに、沢田研二をはじめ、70代でも元気に活躍する人たちを見れば、「後期高齢者」という表現より、「アクティブシニア」のほうがしっくりくる。

世界標準では一応65歳から高齢者とされているが、今なお毎年新曲を生み出し、ステージを駆け回り歌うジュリーの活躍は、決して65歳以上が〝余生〟でないことを見せつける。余りの生活なんてとんでもない。楽しんで、自由に人生の舵取りができる新たな生活、〝新生〟なのである。

だからこそ、沢田研二が還暦コンサートを行い奮起したように、60歳という年齢は、これまでの集大成を誰かに見せるという意味では、アクションを起こす動機づけになるだろう。

実際、それまでの沢田研二のコンサートは、かなり空席が目立っていたという。1990年半ば頃からセルフプロデュースとなり、音楽番組での過去の映像の使用を許可せず、ライブでも昔の歌をほとんど歌わず、ファン離れが加速していた。ところが、ヒット曲と新曲をおりまぜた80曲を歌いきる還暦コンサートに踏み切ったことで、ファンは再び心を掴まれた。

「ジュリーはやっぱり私たちをびっくりさせてくれる。だから離れられない」

ザ・タイガースの頃から応援していたファンの多くが、ジュリーと同世代だ。当時、やはり60歳前後で、ちょうど第二の人生を考える時期。再び趣味や自分の時間を楽しもうとするタイミングだった人も多い。この還暦コンサートは、多くのファンにとってもう一度、沢田研二という青春に再会し、若返るきっかけとなったのである。

若い頃の挑戦と成功はもちろん大きな自信になるが、年齢を重ねてからの挑戦の成功も、人生の大きな弾みとなる。沢田研二のほかにも、前述した泉谷しげる、郷ひろみや西城秀樹、Ｃｈａｒ、ＴＨＥ　ＡＬＦＥＥなど、多くの実力派アーティストが「還暦」と銘打ったコンサートを行い、その実力や存在感を改めて示していた。矢沢永吉は２００９年で迎えた還暦の年に、ずっと出演を断っていた紅白歌合戦にサプライズ出場し、新たなファンを獲得した。

もちろん、芸能人だけではない。子育てなどが落ち着いた、結婚数十年目の夫婦が、結婚式を開くケースも増えているそうだ。当時、金銭の余裕がなく結婚式を挙げたくてもできなかった夫婦だけでなく、一度結婚式をしていても、20年、30年、40年という節目で毎回ウエディングドレスとスーツを着て祝い、互いの魅力を再確認する、という夫婦もいる。

誕生日プレゼントに、子や孫にアカウントを設定してもらい、インスタグラムを始める人もいる。私の知人も、最近還暦パーティーを開いていた。そこにはこれまでの仕事仲間、飲み仲間などさまざまな人が招待され、彼は赤いちゃんちゃんこを着ながら、新たに始めた仕事についてしっかりとアピールをしていた。そしてそれを見て、私も元気と刺激をもらった。

昨今の「人生１００年時代」という言葉に、どこか抑圧を感じている人も多いだろう。長生きができる世の中は結構なことだが、それでも「１００」という三桁の数字に気が遠くなってしまう。それはきっと、ゴールが見えないマラソンを走っているようで、このまま区切りなく、ひたすら時間が過ぎていくことを想像してしまうからだ。

だからこそ、還暦にこだわらなくても、どこかのタイミングで何かをしたい。年を取ることに不安になる前に、切りのいい年齢で「自分が面白いことをやってみる」という彼らのような目標を持つことは、はげみになると思うのである。

還暦コンサートの最後、沢田研二はあいさつで、その６時間半を「夢」だと言った。
「僕は夢を見る人間ではありません。でも毎日毎日、一歩一歩、現実をしっかり歩いて来たつもりです。だから今日、夢の中に来る事ができました。ファンのみんなが連れてきてくれました、ありがとう。また明日から現実の中で、一歩一歩、歩いて行こうと思います」

これまで培った努力は、若さとはまた違う輝きとパワーとなり、蓄積される。でも、それを自覚し周囲にオープンにするきっかけは、なかなか自分から作ろうとしても難しい。

記念日や伝統的な行事は、周りと連絡を取る口実として、わかりやすく便利だ。還暦が終わっても、古希（70歳）、喜寿（77歳）、傘寿（80歳）、米寿（88歳）、卒寿（90歳）、白寿（99歳）、紀寿または百寿（100歳）、100歳を超えても108歳の茶寿や110歳の皇寿、120歳の大還暦がある。毎年誕生日もある。使わない手はない。

「推し活」の本懐

「気ぃ長～に暮らしましょう」。

この言葉は、沢田研二がコロナ禍で自粛が続き、世界中が閉塞感で苦しんでいた2021年の元日、自身の公式サイトで発信した言葉だ。

新型コロナウイルスのパンデミックは、世界を変えた。2020年1月15日に国内初の感染者が確認されてから、同年4月に緊急事態宣言が発表され、外出自粛が求められた。ニュースには感染者数の増加、医療崩壊、閑散とした街並み、テレビやネット記事では、連日のようにコロナウイルスの画像が映り、日常がSFのディストピア小説のようになってしまった。飛沫で簡単に感染し、重篤な症状が出るということで、「換気の悪い密閉空間」「多数が集まる密集場所」「間近で会話や発声をする密接場面」の「3密」を避けるよう、呼びかけられたのである。

　これは、エンターテインメント業界に大きな影響を与えた。なにせ歌を歌うことも、コールアンドレスポンスも、ライブ会場にファンが集まるのも、すべて3密に引っかかってしまう。ライブや舞台の多くが中止・延期を余儀なくされ、アーティストは活動の仕方を模索した。

　沢田研二も、2020年8月に開催予定だったライブツアー『沢田研二LIVE2020「Help! Help! Help! Help!」』がコロナウイルス感染拡大を受け中止になった。そして12月26日には公式サイトで、ファンクラブ「澤會」解散の発表をしている。


「新型コロナ感染拡大に人類は恐怖とストレスの日々の真っ直中にいます。収束の見えない現状を踏まえ、澤會、ココロ公演事業部は、令和2年12月26日をもって解散する事と致しました。長い間ありがとうございました。どうかご理解頂きますよう平に、お願い申し（原文ママ）上げます。

　苦難の中ではありますが、不幸ではありません。ご安心下さい。皆様には感染予防にご留意頂き、油断召されませぬようお願い致します。元気で安全にライブが楽しめる日まで、お健やかでありますようにと願っています。辛抱を『必ず生き抜くんだ』『生き残るんだ』という希望に変えて、共に静かに乗り越えましょう」

読むだけで、あのコロナ自粛の苦しさが思い出され、胸がギュッとなる。二度と世界が元に戻らないかもと絶望していた方も多かっただろう。そんなファンを想い、ともに静かに「時を待とう」というメッセージがよく表れた文章である。ファンクラブ解散は寂しい報告にも思えるが、同時に、70歳を超えた彼が、未曽有（みぞう）の困難期に直面し、誰より彼自身が自己管理をしなくてはならなかった。加えて高齢のファンが多いことを鑑みると、これまで続けてきたものの規模を縮小していこうとするのは、真摯な動きともいえる。さらに沢田研二は、2021年元日に公式サイトを更新。

「身心共に健やかに都下感染者1300人超を受け止めましょう。新型コロナウイルスとの共生は変わらぬ恐ろしい新年ですが、快食、快眠、運動、大笑い、お風呂で免疫力を養い、粘り強く、根気を小出しにし、気ぃ長ぁ〜に愛嬌（あいきょう）も忘れずに静かに暮らしましょう。新型コロナウイルスの感染リスクが有る以上、ファンの皆様を、お客様を、そのリスクに晒（さら）させてしまう事は出来ません。もう少し共に耐えましょう。

初夏にはｌｉｖｅが、安心安全に出来ますことを念じつつ」

その言葉通り、同年の5月〜6月、感染対策を万全に施し、ソロ活動50周年記念の全国ツアー『沢田研二２０２１ソロ活動50周年ライブ「ＢＡＬＬＡＤＥ」』を敢行したのだった。客席稼働率を１００％にしてはいけない。マスクの着用は必須、歓声歓談禁止。それらをすり合わせて、ゆったりした曲、バラードを中心に構成したようだ。

コロナの感染拡大がいつ収束を迎えるのか見当もつかず、ひたすら日常の予防と自粛生活が続いた世の中。世界中がどう進んでいこうか迷っている時代、ライブをするのも一大決心だったはずだ。さまざまな対策を施し、それでも「まさかの事態」におびえなければいけない。けれど、息が詰まるような時期に、音楽で救われる人は必ずいた。

セットリストには、『渚のラブレター』『いくつかの場面』といった往年の名バラードのほか、『ＴＯＫＩＯ』のバラードアレンジも飛び出した。

沢田研二はコロナを機に、客席にこう呼びかけるようになった。

「生きててね、生きててね」

ファンにとって、短いながらもこの言葉の効き目は抜群だっただろう。

好きになる力はすごい。いわゆる「推し活」をすることで、心身にもたらすメリットは数多いといわれている。脳からエンドルフィンやドーパミンなどの「幸せホルモン」が分泌され、ストレスの解消やリラックス効果につながるそうだ。

ＮＨＫの朝の情報番組『あさイチ』に「＃教えて推しライフ」というコーナーがあるが、そこでこんなエピソードが紹介されていた。

難病で人生を諦めかけていたジュンコさんが、闘病中に俳優の林遣都（けんと）のファンになり、『劇場版 おっさんずラブ』を映画館で観ることを目標にし、リハビリを開始。見事寝たきりから回復したという。

沢田研二のファンたちも、彼の活躍を見る、ライブに行く、新曲を待つ――。沢田研二がライブを続けるうちは生き延びて見届けたい。この決意をするだけでも、生きる力が湧いてくる人は多い。

命を大切にして、気長に暮らしましょう。そして、生きて、またライブ会場で会いましょう。彼のそんなメッセージは、多くのファンの生きる目的になっている。

土の時代から風の時代

沢田研二のファンクラブは再開しなかったが、それでも彼は、「いつまでライブに行けるのかわからない」と思う高齢のファンたちに「80歳まで歌う」と明言。実際、毎年全国ツアーを敢行し、生きる力をその姿で示している。

70歳を超えた今、彼は頑固なようで、とても柔軟に、活動の時期と場所を選んでいるようにも見える。そして、それを追うファンたちも同じ。ファンクラブは解散したけれど、それぞれが自由な形で、彼を少しでも長く応援できるよう、推し活を楽しんでいる。

こんな興味深い話がある。

２０２０年は、占星術の星の動きによると、２００年に一度の「グレートコンジャクション」が到来。19世紀から続いた「土の時代」が終わりを告げ、２０２０年12月に水瓶座で木星と土星が大接近したことにより「風の時代」がスタートしたという。

占星術を信じるかはともかく、目に見える物質的な豊かさに価値があった土の時代から、目に見えないものに価値が見出される風の時代に変わる、という実感は確かにあった。

これまでは年を取れば、大きな家を持ち、派手な結婚式をし、墓を買い、盛大なお葬式をし……と、すべてにおいて豊かさを誇示していく時代だった。しかしこれからは、モノや権威などに執着するのではなく、身軽になり、代わりに精神的に豊かになる時代だ。

エンタメのあり方も場所やモノにこだわらない形式に、大きく変わっていった。ライブは、動画配信やオンラインライブが一気に普及。音楽の聴き方も定期的に金額を払い続けることで、配信されている音楽が聴けるサブスクリプションサービス（サブスク）が定着した。

サブスクというサービスは、これまでだいたいCD1枚1000円～3000円を出して聴いていたのが、1カ月定額料金（1000円以下）を支払うことで1億以上の楽曲が聴き放題となる。昔の音楽も、世界のヒット曲も、気軽に手に入れることができ、慣れるとこんなに嬉しいものはない。そのおかげで、歌謡曲やシティポップの再ブームが訪ずれているという。検索が得意な若い世代は、次々と過去の曲を聴き、ポータルサイトで関連の情報も掘り起こし、彼らが生まれる前に一世を風靡したアーティストの推し活にはげんでいたりもする。

沢田研二の歌もサブスクで配信され注目度が高い。2021年11月には、山本耕史主演のBS時代劇『剣樹抄（けんじゅしょう）～光圀公と俺～』の主題歌にPYGの名曲『花・太陽・雨』が採用され、2023年6月には、ザ・タイガースのシングル15作品もサブスク配信解禁となり、話題となっている。

沢田研二は1998年、「考えてみると、音楽というのは世代のものだと思うんです。世代を超えて、というのは幻だと思う」と、雑誌のインタビューで語っていた（プリンツ21『Prints21』1998年冬号）。

確かに、同じ懐かしさや時代の空気は共有できないが、確実に世代の壁は低くなり、より広い層と、好きな音楽について理解し合えるようになってきていると思うのだ。

人生が匂い立つたたずまい

コロナ禍が起こした変化は多岐にわたるが、何よりも大きなことは、「死」への意識だろう。年齢にかかわらず、死ぬということは誰に対しても、決して遠くにあるものではないことを、リアルに突きつけてきた。

2022年11月に公開された沢田研二主演の映画『土を喰らう十二ヵ月』（中江裕司監督）は、命と向き合うというタイムリーな内容で大ヒットした。これは1978年に出版された水上勉のエッセイ『土を喰う日々―わが精進十二ヵ月―』を原案にしたもので、沢田研二が演じるのは、水上勉（みずかみつとむ）をモデルにしたツトム役である。

68歳のツトムは、人里離れた長野の山荘に一人暮らし。幼い頃、禅寺で生活したことがあり、その経験をもとに、自然の中でその日食べるものだけを畑から採り、調理する。時々訪れてくる、25歳離れた編集者であり恋人でもある真知子とともにする食事が、何よりの楽しみだ。二人の仲むつまじい調理シーンと食事シーンは、こちらまで幸せになってくるような生命力に溢れている。

しかし、物語が後半に差しかかると、「命が終わる」とはどういうことなのか、じっくりと考えさせられる展開となる。ツトムは、13年前に他界した妻の遺骨をいまだ墓に納めることができずにいる。やがて近くに住む義母が亡くなり、自分も病に倒れ、否応なしに死と向き合うことになるのだ。ツトムが夜、自分の骨を入れる骨壺を窯で焼き、炎が光るシーンはとても幻想的だ。私も映画館で見たが、死に対しての感じ方が、少し楽になった。夜が来て、ベッドに横になるとき、ツトムがつぶやく台詞があるのだが、これが、一つの終わりの儀式を思わせ、本当に素晴らしい。

けれど、夜が明けると、何もなかったように今日食べる野菜を採りに畑に出るのだ。人は眠るたびに一度、小さな死を体験するのかもしれない。ならば、今日一日を淡々と生きれば、それでいい。就寝時に世の中にお別れを言って、目が覚めたら、また一日生きる。この繰り返しが人生なのかもしれない、と思えたのである。

沢田研二のたたずまいと声は、不思議な明るさがある。この映画を前向きに観ることができたのは、美しい長野の自然やおいしそうな食事のせいだけではなく、彼の存在感があったからだ。年相応の立ち姿でありながら、年が30近く離れた恋人役の松たか子と並んでも、親子ではなく、ちゃんと恋人に見えるようにシーンを成り立たせている。

松たか子は、沢田研二についてこう語っている。

「沢田さんはとても静かな方でした。だからなのか分からないですけど、本当の沢田さんは分からないまま。どこか、煙（けむ）に巻かれた感じがします（笑）。でも、それでいいかなと思っていて。ツトムさんはお料理をするシーンが多くて大変だったと思うんですけど、その大変さがあまり見えない。飄々（ひょうひょう）としているとも言えるけど、何をやってもカッコよく見える。でも人間的なんですよ。だから何というか、夢みたいな感覚ですね。（中略）この先またお会いすることがあったとしても、それはもうあのときの沢田さんではないような気がしています」（講談社「ＦＲａＵ公式ウェブサイト」２０２２年11月23日配信）

中江裕司監督は、沢田研二のカリスマ性を興奮気味に語っていた。

「多分、沢田さんは、レンズに向かってだけ演技をしていたのではないかと思うんです。『ずっと映される』ということをやられているので、ものすごく微妙なことができるんじゃないですかね」（バカ・ザ・バッカ『ｏｔｏｃｏｔｏ』２０２２年11月12日配信）

存在感があるのにどこか自然の背景に埋もれてしまいそうな気配。やさしいのか冷たいのか、強いのか弱いのかよくわからないツトム（沢田研二）の姿に、監督と共演者も煙に巻かれたようだった。そして観ている私も同じ感覚があった。

ツトムのモデルとなった水上勉は、『一休』『飢餓海峡』『金閣炎上』で知られるベストセラー作家。彼には「周りに常に女性がいた」とする、非常にモテたというエピソードが多く、中江監督は「そこに説得力を持たせられるのは彼しかいない」と沢田研二にオファーしたそうだ。ところが沢田は、逆にオーディションを希望している。その時の様子を、中江監督は、こう回想している。

「その場で眼鏡も外されて、『たぶん昔の沢田研二を期待されてこられてるかと思いますが、今の姿はこんなです。これでいいんですか?』とおっしゃったんです」（前掲「otocoto」）

さらには、中江監督の「もちろんです。ぜひ出てください」と申し出に、「いまのこの姿を晒す覚悟はあります」という返事をしたという。

ちなみに、本作より1年早く公開されたのが、松竹映画100周年記念作品の『キネマの神様』である。沢田は、撮影中逝去した志村けんの代役で、映画を愛する主人公・ゴウの現代パートを急遽演じた。

完成報告会見では山田洋二監督が、彼について「二枚目」という言葉を繰り返していたが、映画を観ると、ジュリーは二枚目をかなぐり捨てるように白髪を振り乱し、酒びたりの役を、ヘロヘロ、クタクタに演じていた。

立て続けに公開されたこの2本の映画を観て、両極端の役ではあるが、過去の姿と比べたがる周りの声に怒りをあらわにしながらも、自然に年を重ねていったジュリーだからこその説得力を感じた。中江監督がインタビューで語っていた、「物語がなくても、人生が匂い立つのを感じた」という沢田研二に対する言葉がすべてだろう。

「僕らの職業は定年がないので老後も仕事ですが、これからは父親役、もう少ししたらおじいちゃん役もできるかなと、楽しみはいっぱいあります。若いときにやった舞台で、今度は年配のほうの役で誘ってくれるんじゃないかと期待しています（笑）」（前掲『ほうてらす』Vol.2夏号）

これは還暦の際に、俳優業について答えていたものだが、実際その通りになっている。沢田研二は『土を喰らう十二ヵ月』の演技で、第77回毎日映画コンクール男優主演賞、第96回キネマ旬報ベスト・テン主演男優賞、2022年度全国映連賞で男優賞を受賞した。毎日映画コンクールの受賞コメントでは、「出来上がったものを見ましたときには、もっともっと、ちゃんとできているはずだったんですが（笑）」と反省しながらも、「この歳になってもまだ伸びしろがある、ということかどうかわかりませんが、とにかく、功労賞的な意味合いもあるのかなとも思いますけれども。一方では、すごい俳優さんがいる中で、私を選んでいただいたのは、とってもとっても嬉しいし、僭越（せんえつ）だし、恐れ多いし、大変ありがたく思っております」
と笑顔を見せていた。「伸びしろ」という言葉がとても印象的だった。

「幸せのUカーブ」

年を取っても成長する。それどころか、楽しいことが増えていく。このような現象を「Aging Paradox（エイジングパラドックス、加齢のパラドックス）」と呼び、高齢化社会の中、研究が進んでいる。

その中で、米ダートマス大学の経済学者、デービッド・ブランチフラワー教授による「幸福のUカーブ」という研究が近年話題になっている。

世界132カ国を対象に人生の幸福度と年齢の関係を調べると、人生の幸福度が最高値に達するのは、82歳以上だという結果が出た、というものだ。「年を取るほどできることが減り、つらいことが多い」という世間的なイメージとは逆である。

人の幸福度は18歳から下がり始め、47歳〜48歳で不幸のピークに達し、ふたたび上がり始める。その軌跡がアルファベットの「U」の形を描くことから、「幸せのUカーブ」と名づけられた。これは世界共通のものだという。先進国でも発展途上国も同じで、日本も幸福度が最も低いのは49歳、最も高いのは82歳以上という結果が出ている。

こんなデータもある。100カ国超に展開する米マッキャン・ワールドグループが全世界で「TRUTH ABOUT AGE（年齢についての真実）」の調査を実施したところ、実は、世界的に見ても、死を最も恐れているのは20代、年を取ることを最も気にしているのは30代、年を取ることを最も気にしていないのは70代という結果が出たという（日経BP「日経ビジネスオンライン」2018年2月22日配信）。

さらにこの調査によると、70代の人たちが思う「年を取って一番よかったこと」という質問では、「幸せになるための方法が分かること」「お金に余裕ができること」「たくさんの友人ができること」などの解答があり、「もっと自由になれること」が、世界的に一番多い回答だった。

若いときこそ幸福で、幸福度は歳を重ねるごとに衰退していく、というネガティブなイメージはもう昔の話。75歳にして果敢にチャレンジしている沢田研二はもちろんその筆頭だし、100年健康時代のヒロインと呼ばれる草笛光子、81歳でスマートフォン向けのゲームアプリを開発し、アップルCEOのティム・クック氏から「世界最高齢のアプリ開発者」と紹介された若宮正子さんなどを見れば、年を取る怖さどころか、学び直し、新たな挑戦をすることが楽しみになってくる。

若宮さんの「物忘れなんて、どんどんしちゃっていいんです。毎日のスケジュールもだれかとの約束も、全部コンピュータに覚えといてもらえばいいんだから！」（扶桑社「ＥＳＳＥｏｎｌｉｎｅ（エッセオンライン）」２０２1年5月3日配信）

という言葉は、年齢による衰えすら、チャンスをつかむきっかけかもしれない、と気持ちがとても軽くなる。

やりたいことをやり、自分らしく生きようとしている人を見ると、老いることを楽しむことができる時代が来ていると、実感するのである。

第5章

仲間とともに生きる

青春時代に戻れる仲間

年を取るほど、新たな人間関係を作ることは難しいというイメージがある。特に中高年の男性は、長年仕事で積み重ねてきた経験やプライドが邪魔をし、わざわざ人と合わせるのが煩わしくなる、といったネガティブな分析も多い。

とはいえ、2025年には団塊の世代800万人が75歳以上の後期高齢者となる。2050年には、東京を除くすべての道府県で高齢者の人口が4割になるとも予測されている。人生において、人とつながらず生きていくというのは、どだい無理な話である。

会話を楽しみ、長所や苦手を理解し合える仲間がいれば、互いに補える点が増え、生活はスムーズかつ充実したものになるのは間違いない。そしてすでに、それに特化したシニア向けのSNSや、交流イベント代行サービスも増え、さまざまなコミュニティが存在し、ライフスタイルに合ったつながりの選択が、提案されている。

何より現代は、健康寿命が延びることで、アクティブに動ける気力体力、時間を持つ人が多く、遠ざかっていた縁を手繰り寄せるチャンスも増えている。

沢田研二と仲間の関係は、シニアにとって、まさに理想的な形に見える。その仲間とは、1967年のデビュー以来、苦楽をともにしたザ・タイガースのメンバーだ。岸部修三（サリー）、加橋かつみ（トッポ）、森本太郎（タロー）、瞳みのる（ピー）、そして、1969年に脱退した加橋かつみに代わって加入した岸部修三の弟、岸部シロー（2020年に逝去）である。ザ・タイガースの解散から再結成までの44年は、「遠ざかっていた縁を手繰り寄せる」時間そのものだった。紆余曲折を乗り越え、今大切な「仲間」としてともに活動する彼らの軌跡を追いながら、人間関係のあり方を見ていきたい。

1990年代後半、ライブ中心の活動になってからの沢田研二は、自分のやりたいことを最優先したがゆえに、第3章で述べたような頑固で難しい性格にも映るエピソードが多い。それでも彼から孤独を感じないのは、ザ・タイガースとの、約50年も続く深いつながりが見えるからである。音楽を通じて深い絆で結ばれた彼らの存在が、ソロになっても、沢田研二の足元をしっかり支えているように見えるのだ。つながった縁を大切にする、という大きな信頼感につながっている。

ザ・タイガースは、1971年に解散しているが、沢田・岸部・森本は交流を続け、1997年には3人のユニット、TEA FOR THREE（ティー・フォー・スリー）を結成。2013年には悲願の6人全員集合がかない、東京ドームで再結成ライブを開催した。

加橋かつみのライブへの合流は2013年以降ないが、瞳のオフィシャルサイトに掲載された「宇治川の先陣争い」（2016年9月28日）で、彼の古希祝いの会が開かれ、加橋も含めたメンバー5人全員で祝ったことが記されており、ライブ後も連絡を取り合っていたことがうかがえる。

現在、岸部一徳（修三）は個性派俳優として、ドラマや映画になくてはならない存在となっている。森本太郎は音楽プロデューサーとして活動中、瞳みのるは戯曲の原作やプロデュース、執筆活動も行っている。沢田を含め、全員多忙。それでも4人が集まり、演奏を披露する機会は増え、ミュージシャンとしても息がぴったりだ。これまでの44年間を埋めるかのように、グループ活動を楽しんでいる。

2023年6月25日、さいたまスーパーアリーナで行われた『沢田研二 LIVE 2022-2033「まだまだ一生懸命」』のツアーファイナル バースデーライブの第1部では、岸部一徳、森本太郎、瞳みのるが参加して、ザ・タイガースの曲を披露。MCでは、デビューに至るまでの裏話に花を咲かせ、仲間との誕生日を楽しんでいた。ファンの中には「ザ・タイガースは今が一番楽しそう」という人もいるほど、その姿はとても微笑ましいものだった。

「昭和の思春期」をともに過ごす

沢田研二にとって、ザ・タイガースのメンバーとともに演奏する時間は、かけがえのない時間であることが、ステージから漂っている。ソロ活動とは違う〝やわらかさ〟がある。

実際、ザ・タイガースの解散後も再集結を願い、最も積極的に動いたのは沢田研二だった。彼にとって、ザ・タイガースとして過ごした時間は、それほど特別だったのだろう。

ザ・タイガースの活動期間は４年間（１９６７年～１９７１年）と短い。しかも決して順風満帆ではなく、友人同士で結成され、音楽を純粋に楽しんでいた彼らが、みるみる人気者になり、好むと好まざるとにかかわらず、芸能界の思惑に巻き込まれ、壊される、そんな激しい４年間だったようだ。

ザ・タイガースは高校の同級生だった瞳みのる（１９４６年9月生まれ）、岸部一徳（１９４７年1月生まれ）、森本太郎（１９４６年11月生まれ）に、同じ高校の夜間部に通っていた2学年下の加橋かつみ（１９４８年2月生まれ）が加わり、音楽やファッションを楽しむ友人として始まっている。

その頃、日本に吹き荒れていたのが、インストゥルメンタルのエレキバンド・ブームだ。アメリカ出身のザ・ベンチャーズが火つけ役で、これまでの日本にはないグルーヴ感や卓越した演奏テクニックに若者たちは夢中になった。歌詞がついていないことも逆に、英語がわからなくても洋楽が実践できる、という高揚につながった。音楽小僧たちはこぞって、その「デンデケデケデケ！」という稲妻のようなサウンドを「自分も演奏したい」と、ときめいたのだ。

岸部、森本、瞳、加橋の4人もその例にもれず、中古のエレキギターを手に入れ、バンド活動に盛り上がった。1965年1月5日、大阪フェスティバルホールにて行われた、ザ・ベンチャーズとアストロノウツの来日公演も、4人で会場に一番乗りしようと始発で向かうなど、当時のエピソードはまさに青春である。

しかし、エレキブームは意外に短命で、徐々に若者たちはインストゥルメンタルだけでは物足りなくなり、ボーカルを加えたバンドが流行を取って代わる。1966年のビートルズ来日も、その流れに弾みをつけた。そして岸部たちも歌えるメンバーを探すようになり、行きつけのダンス喫茶「田園」で、沢田研二をスカウトするのである。

沢田研二は、サンダースというバンドのボーイ兼ボーカルで、ギターを磨いたり、使い走りをしながら、ビートルズの『ミスター・ムーンライト』やリトル・リチャードの『愛しておくれ』など1、2曲程度を歌う日々を送っていたという。しかし、その堂々としたパフォーマンスは当時から目を引いた。最初、4人から呼び出された沢田は、「もしかしたらどつかれるんかいな」と穏やかではなかったという。しかしふたを開けてみれば、情熱的なバンド勧誘だった。かなり年上に囲まれて活動していた彼にとって、同世代から誘われた喜びは大きかったようだ。

そして、バンマスを説得し17歳でメンバー入り。4人時代のバンド名は「サリーと彼のプレイボーイズ」だったが、沢田が加入することで「ファニーズ」に変えた。

その後、加橋を除いて4人のメンバーが大阪・西成区岸里の「明月荘」に同居。期間にすれば1年ほどだが、ほぼ毎日顔を合わせる生活を送ったのである。プロになる前の彼らのこういったエピソードは、青春映画のように夢に満ちている。夜遅くまでギターを弾き、コンテストに参加する曲を選ぶため、アパートにこもり、頭を寄せ合いレコードを聴き、時には加橋の家に集まってマージャンを楽しみ、強い岸部が一人勝ち。マージャンができない沢田は、その様子をにこやかに眺めていたという。

当時の彼らは17、18歳。なんでもスポンジのように吸収する年頃である。アイビールックに身を包み、ラジオに耳を傾けヒット曲を楽しみ、テレビをチェック――。高度成長期でさまざまな新しい文化が押し寄せたこの時期を「昭和の思春期」とカテゴライズする人もいるが、そんなときを、溢れんばかりの若さで仲間と楽しんだ思い出は、特別な輝きだっただろう。

焦燥と葛藤

そんな最高の音楽仲間だった彼らだが、デビューしてからは、夢よりも世間が作り出すイメージに押しつぶされていくようになっていく。

ファニーズはミュージシャンの内田裕也に見出され、「ザ・タイガース」とグループ名を変える。１９６７年2月に『僕のマリー』でデビューすると、すぐさま人気が爆発し、GSブームの中心的存在に躍り出た。

あまりにファンが集まりすぎ、保安上の理由から予定していたコンサート会場からキャンセルされることもあったという。ファンの追っかけが激しく、新幹線を止めることもしばしば。森本太郎はのちにジャニー喜多川から、１９６２年4月に結成していたアイドルグループのジャニーズが解散した理由を「タイガースが出てきたから、これはもうかなわないと思って解散した」と聞かされたそうだ（ジャニーズは１９６７年12月解散）。こういったタイガースの異常人気エピソードを挙げるとキリがない。

今でも、昭和の歌謡界やエンターテインメントを振り返る番組があると、その象徴的な一つとして、ＧＳブームが最高潮に達していた１９６０年代後半当時の映像が流れることが多い。その映像はかなりエキセントリックで、金切り声を上げ応援、そして失神する人が続出する客席は、見ていて心配になるほどだ。

彼らがアマチュア時代、ファニーズ名義で大阪のライブハウスで演奏していたときから応援しているファンの一人はデビュー後の変化をこう回想する。

「いきなり急に手が届かなくなった感じで、嬉しさより寂しさのほうが強かった」

それほど、彼らの売れ方は突然で、しかもすさまじいものだったのだ。メンバーたちも、さまざまなインタビューで、下積みがないまま売れたと語っている。

あれよあれよと、訳がわからないまま時代のトップに押し上げられる戸惑い。加えて、ザ・タイガースが所属する渡辺プロダクションのアイドル性を押し出すプロモーションは、音楽性を大事にしたいというメンバーの理想とズレが出てくる。さらには武道館を埋めるほどの人気を誇ってからも、新宿ＡＣＢといったジャズ喫茶への出演も相変わらず入り、目の回るような忙しさも重なっていった。しかも、どれだけ良い音楽を追求しても「ＧＳは不良の音楽」と決めつける世間のご意見番の批評にさらされた。

自由は減り、やりたい方向性とは違う音楽をやらされる。デビューから1年も過ぎると、お互い顔を合わせればケンカになったというエピソードは胸が痛む。友人から始まったグループだからこそ、それぞれが言いたいことを言い、主張がぶつかるし、メンバーの人気格差もその一端となったようだ。

岸部一徳は「今だから言うと、最初のタイガースっていうのはね、沢田が真ん中で横一線に並んでたんですよ。それがずーっとやっているうちに沢田が前に一人で、我々が後ろに、という形になっていった」（前掲『沢田研二スペシャル・美しき時代の偶像』）と語っている。もちろん、それは沢田研二が望んだことではなく、彼自身のもどかしさやメンバーへの罪悪感にもつながった。

そして、ついに加橋かつみが１９６９年脱退する。加橋の抜けたあと、加入した岸部シローも、「コスチュームどころか音楽も、個々の志向というか、考え方も、もっといえば本来の人間性すら否定するようなアイドル――「ザ・タイガース」が出来上がっていたのです。『俺たち、本当のザ・タイガースは……？』と考えても、もうメンバー自身分からなくなっている状態になりつつありました」と自著『ザ・タイガースと呼ばれた男たち―ある団塊の世代の肖像』に記しており、忙殺され、自分と世間が求めるイメージが離れていく葛藤が垣間見える。

さらに、グループの年長者、瞳みのるも芸能界そのものへの不信感を募らせ、脱退を申し出るようになり、１９７１年、ザ・タイガースは人気絶頂の中、非常に険悪な状態で解散することになった。

　瞳は１９７１年1月24日、武道館で行われた解散コンサートの当日、荷物をまとめて去り、ファンにも「皆さんの記憶から僕という存在をすっかり忘れてください」という衝撃的なコメントを残して芸能界を引退。その後、長きにわたりメンバーとの交流も一切絶ってしまう。

　しかし、この頃はすでにＧＳブーム自体にも陰りが出ていた。ザ・タイガースの人気絶頂期での解散は、ある意味、時代の流れだったともいえなくはない。

　岸部一徳は、雑誌のインタビューで当時の瞳の気持ちを、「ザ・タイガースというグループで青春を無駄にしてしまったという『火のような後悔』があったのだろう」（朝日新聞出版『週刊朝日』２０２３年5月26日号）と話している。

　二度と味わいたくないであろう、存在意義の喪失。周りの望みと自分のしたいことが背離していき、やりたいこともできなくなっていく。それなのに反響は大きいまま、いや、それどころか、どんどん注目度は上がっていく。業界から勝手にキャラクターをつけられ、自分の姿はどこにあるかわからなくなる。模索すらも許されず、仕事が次々と入り、目指していた道は歪（ゆが）んでいく。それでも待っているファンがいる。やりたかった音楽、憧れていた仕事に就けたのに、そこで自分がまったく望まないものを作り、それがあたかも、自分のすべてのように、評価の矢面に立つことになる――。

規模の違いはあれど、経験が浅いまま突然表舞台に立ち、想定外の評価を受けたことがある人の多くは、似たような葛藤を経験したことだろう。特に右肩上がりの高度成長期に働いていた人は、そもそも推進されていた働き方が現代と真逆だった。朝晩働き続ける〝モーレツ社員〟という言葉が流行語になり、社員の研修合宿を行う企業もあったほどだ。自分身を粉にして働き、人が社会の歯車となり、急速に経済を上向きにしていった時代。自分が何をしているかもわからない日々を送った人は多いのではないだろうか。

たとえ素晴らしい結果を出し、周りに貢献できていたとしても、そこに自分らしさがまったくなかった過去と向き合うには、とても時間がかかる。

モチベーションの置き所

瞳とは対照的に、沢田研二はザ・タイガースに、永遠に続く未来を見ていた。もちろん、彼は彼で、突然敷かれたスターの道に混乱し、勝手に作られていく〝貴公子・ジュリー像〟にすさまじいストレスとプレッシャーを感じていたと、さまざまなインタビューで語っている。熱狂的に追いかけてくるファンに髪の毛をむしられ、全力を傾けて歌った歌も、アイドルのお遊びのように言われてしまう。不信感と葛藤の連続の中で、それでもグループの存続を疑わなかった。

当時を振り返り、「僕はね、タイガースはずっと続くもんだと思ってたんですよ」（前掲『沢田研二スペシャル　美しき時代の偶像』）と語っている。

こんなエピソードがある。ザ・タイガースで最も売れたシングルは、加橋かつみがメインボーカルを務めた『花の首飾り』。実は、最初A面だったのはジュリーがメインボーカルの『銀河のロマンス』だった。加橋の『花の首飾り』が売れてA面とB面が逆になったときは、沢田研二はショックを受けたが、同時に、音楽を追求するパワーにもなっていた。

「うん。子ども心にもね、屈辱ですよ、一種の。『花の首飾り』は事実として認めるだけで、心の中にコンプレックスとなって、ずーっと残るわけですよ。（中略）そのコンプレックスが僕の今のエネルギーになっているんじゃないかと思うんです。それは事実として感じてるし。ズンッ、と肉体やハートにこたえることがないと、人間進歩がないんやないか、なんて、なんとなくそんなことも思ったりしてるんです」（ニッポン放送『オールナイトニッポン』1976年2月20日放送）

「『花の首飾り』はいい曲ですよ。僕はコーラスしかしてないんですよ。（中略）でも、いまだに悔しいのは、一番売れたのが『花の首飾り』だということです。これがいまだに私の歌ってこられた活力になっているわけです。私はそういうことを、執念深くエネルギーに変えてきた人間なんですね（笑）」（前掲『今日は一日〝ジュリー〟三昧』）

『花の首飾り』リリースから8年後の1976年と40年後の2008年のトーク。彼の悔しさと感謝のようなものが伝わってくる。

沢田研二にとっては、ツインボーカルの葛藤や、加橋かつみとのぶつかり合いも、心に〝ズンッ！〟とくる衝撃、モチベーションになったのだ。

加橋かつみに対する沢田研二の、なんともいえないリスペクトが垣間見える楽曲が、1982年2月にリリースされた『色つきの女でいてくれよ』だ。これは、ザ・タイガースにとって、約12年ぶりの新曲となった。きっかけは、その1年前の1981年、有楽町にあったGSの聖地・日劇が取り壊されることで復活開催された『日劇ウエスタン・カーニバル』だった。そこで〝同窓会〟という名目で、多くのGSのグループが再集結。ザ・タイガースも出演し、その際の反響が大きかったこと、そしてグループ自体が解散から10年目というメモリアル・イヤーということもあり、グループ限定復活が企画されたのだ。

この頃、沢田研二は35枚目のソロシングル『麗人』（1982年1月発売）がヒット中で、濃いメイクとチャイナ風の三つ編みを振り回して歌っていた。『ザ・ベストテン』では3

月25日、ちょうどランキングから外れた『麗人』と入れ替わるように『色つきの女でいてくれよ』が10位でランクインした。

　この曲の沢田研二は、メンバーと合わせてノーメイクで髪もナチュラル、服装はスーツ。これが逆に新鮮で、ジュリーは当時34歳だったが、とてもあどけなく見えた。メインボーカルを、ザ・タイガース時代「心に〝ズンッ！〟ってくる」というほど悔しがった加橋かつみにゆずり、とても嬉しそうにタンバリンを鳴らし、ハーモニーに徹していた。

　沢田のソロパートは「いつまでも　いつまでも」のみ。そのフレーズは、ソロで背負い続けた「やせがまん」とは違い、素直なグループ存続への願いとメンバーへのエールに聴こえ、とても印象的である。

思いを伝え続けるということ

　この1982年の同窓会に、瞳みのるの姿はなかった。解散時、芸能界に嫌悪感を示していた瞳は、メンバーとも連絡を絶っており、彼らが活動を再開させるまで、37年という長い月日を必要とするのである。

　しかし岸部、沢田、森本は、気長に連絡を入れ、返事を待ち、メッセージを発信し続けた。ジュリーは、瞳の行きつけの居酒屋に通い、瞳と会えるのを待ったこともあるという。解散コンサート当日に荷物をまとめ、一切連絡を絶つほどの拒絶反応を見せた瞳を、諦めず待ち続ける気持ちは、『Ｌｏｎｇ Ｇｏｏｄ－ｂｙ』（２００８年5月25日にリリースされたアルバム『ＲＯＣＫＮ' ＲＯＬＬ ＭＡＲＣＨ』に収録）の歌詞に込められている。ＴＥＡ ＦＯＲ ＴＨＲＥＥの楽曲として、岸部一徳と沢田が作詞をし、森本が作曲していた、瞳へのメッセージソングだ。瞳と一緒にいた楽しい時間を忘れていないこと、こんなに長く連絡が取れなくなると思っていなかった悲しさが、飾らないシンプルな言葉で伝わってくる。

２００８年、沢田研二はこの歌を、7年ぶりのテレビ出演となったＮＨＫの音楽番組『ＳＯＮＧＳ』で歌唱している。9月17日、24日の2週連続の登場で、歌唱は1週5曲ずつ。ヒット曲が数多ある沢田研二が、新アルバムのなかからこの『Ｌｏｎｇ Ｇｏｏｄ－ｂｙ』をあえてセットリストに入れたことからも、どうしても再び瞳と連絡を取りたい、会いたいという強い気持ちが感じられる。

そして実際、この曲は瞳のもとに届き、同年11月、沢田、森本、岸部と再会を果たすきっかけとなったのだった。

エモーショナルという言葉では足りない、雪解けまでの道のり。思い出はどんなものでも、その人の歩み、人生そのものだ。同じ栄光と苦しさを経験した者しか共有できない感情がある。長い年月を経て、その人たちがもう一度会い、語り合うことで、後悔の火は穏やかに消すことができる。そして後悔していた過去は肯定され、新たな青春となる。瞳は沢田研二のコンサートツアーに岸部、森本とともに参加し、ドラマーとして40年ぶりに復帰した。

人生経験で得られる気づき

年を取るというのは、本当に不思議なものだ。体はあちこちが弱くなり、できないことも増え、失っていくものも多い。けれど、旧友との友情のように、甦ってくるものもある。だからこそ第４章で記したような、年を取るほど幸福感が増えるという「エイジングパラドックス」という不思議な変化も起きるのだ。

加齢を自覚することで、目標を達成できなくても「まあ、この歳でよく頑張った」と納得できるし（最適化）、「自分が自分が」という利己主義から、他人を思いやる利他主義へ移行し、人間関係の深い意味を見出すことができる（老年的超越）。

何より高齢になるほど、残された時間が短いことを悟り、優先順位がはっきりしてくる。

細かいことはどうでもよくなり、自分が大切だと思えることに焦点を絞って頑張れるのだ。

　もちろん、人の考え方によって違う部分はあるだろう。けれど、確かに自分の身に置き換えて考えてみても、年を取ってくるごとに、相手に向かって「どうしてわかってくれないの！」というような無理強いは減ってきたように思う。相手を尊重するところ、自分がどうしても聞いてほしいところを選択する知恵が、五十数年という長い期間の経験で、どうにかついてきたのかもしれない。

　体力が有り余っていた若い頃に比べ、人に対抗するパワーが減ることで、他者と理解点を見つけることが上手になる、ということだろう。昔ケンカ早かった人が「年をとって丸くなっちゃった」「角が取れた」などと苦笑いしながら言うことがあるが、それは立派な進化だと思う。同時に、つらかった思い出も時間とともに薄れていく。「Time cures all things.（時はすべてを癒してくれる）」ということわざの通り、雨だれが岩を穿つように、長い期間かけて、大きなわだかまりが解けていくのだろう。

　また、ある程度の年を過ぎると、ライフイベントで、かけがえのないものを失うという経験が増える。それは大切な人の死であったり、目標や長く信じていた価値観だったりする。そういったことを繰り返すうちに、今、仲間と連絡を取り合えることを心から幸せに思えるようになる。

２０１１年の沢田研二のライブにて、瞳みのるが復活を遂げたとき、森本太郎はこう語っている。

「昔の仲間と昔を思い出しながら楽しく好きな音楽を一緒にできる。とにかくそれが楽しいけど、僕にとってもっと大事なことは来年1月、ツアーが終わった後のこと。彼らと同じようにつき合っていけるかということ。このツアーで関係が終わりじゃ寂しい。いずれ、僕らには『死』という絶対的な別れがくる。その別れまで今のような状態でいたいんです。それは回数じゃなくて、会いたいと思ったときに会える関係でいたいということなんです」（小学館『週刊ポスト』２０１１年9月30日号）

仲間と再会できること、そして、またともに過ごせる時間ができること。これらが決して当たり前ではなく、どれだけ奇跡的なことであるか自覚できることこそ、人生経験がもたらす、最も尊い気づきなのかもしれない。

旧交を深める手段

ザ・タイガースの復活にあたって、沢田研二の奮闘は続いていた。

瞳との関係が復活したはいいが、今度は加橋かつみが合流に応じなくなったのだ。彼はメールや電話で連絡を取り続けたが、加橋に「沢田のやり方が気に入らない」と言われ、再結成を拒否されたことをライブのMCで語っていた。しかし、それでも彼は「とにかく話をしたい」と伝え続けたという。

そしてついに、2013年12月、『ザ・タイガース 2013 LIVE in 東京ドーム』で歴代メンバー全員が集結する。沢田研二は、当時病床に伏していた岸部シローの参加も、反対していた兄の岸部一徳を説得し、実現させている。

いくら時間の流れが離れた心を近づけるのに有効だとしても、誰かがそれに向けて行動し、きっかけを作らなければ、向き合うことすらできない。「全員が揃わないとザ・タイガースではない」と決意し、決して諦めなかった沢田研二の粘り強さに感服せざるを得ない。再集結は仲介役、まとめ役がいないと成り立たない。まさに名幹事ジュリーである。

とはいえ、沢田研二はザ・タイガースのメンバー（岸部シローを除く）の中で最後に加入し、しかも一番年下、一人だけ出身高校も違う。本来なら、一番距離を感じ、傍観していてもおかしくない立場である。しかも、若い頃の彼は、本当に無口で、ほとんど話さなかったという。岸部一徳も、当時をこう回想している。

「あのころの一つ二つって大きいよね。沢田は本当におとなしくて。年下の遠慮もあったのかな。いまは全然ないけどね（笑）」（朝日新聞出版『週刊朝日』2023年5月26日号）

そんな彼が、まとめ役をしようと奔走する。メンバーのために駆け回り、一緒に時間を過ごすことを何よりも喜ぶ。本当にザ・タイガースというバンドを自分の〝原点〟として大切に心に置いているのだろう。

ＮＨＫ－ＢＳプレミアムにて２０１２年３月23日に放送された『沢田研二ＬＩＶＥ２０１１～２０１２ ツアー・ファイナル 日本武道館～瞳みのる・森本太郎・岸部一徳をむかえて～ザ・タイガースを歌う』では、公演の様子以外にも、リハーサルシーンやメンバーのインタビューも収められていた。作中で瞳が満面の笑顔でこう語っている。

「楽しいです。本当に楽しいです。昔の仲間と我々ができるんだと。かつてはいろいろ会社にやらされていた部分があると思うんですけど、今度は自発的に、誰の力も借りず、自分たちの力でできるのが一番嬉しいです」

沢田研二は「ピーが元気で熱いのが嬉しいね！」と言い、そして「みんなの40年間のね、いいことも悪いことも、その経験が血肉になっているという感じですよ」と嬉しそうな顔でつぶやいていた。

もちろん、沢田研二は5人全員のステージにこだわっており、そういった意味では、今もまだ、ザ・タイガースは完全体ではない。ファンはこれを受け、現在の４人を「ほぼザ・タイガース」、略して「ほぼタイ」と呼んでいる。

気まずくなった友人と連絡が途絶える原因の多くは、「どうせ今連絡しても無理」という一方的な諦めからくる場合が多い。誘いを断られた場合、新たな気まずさが上塗りされる。そこからひたすら粘り強く、時間をかけて連絡を取り続けるのは、なかなか難しいことである。

再び大切な縁をつなげる第一歩は、「どうせ無理」という発想を捨てることが大事なのかもしれない。そうすることで、もう一度つながり、そして以前にも増してその存在が大切になる可能性もあるのだ。

彼らも今、いつでも5人になれるよう現在も集まり、当時のヒット曲を演奏し、白髪になった頭を振り、飛び跳ねシャウトしている。そして昔話に花を咲かせ、ファンと喜びを共有している。

そうしているうちに「ほぼザ・タイガース」は、気づけば1960年~70年代にキラ星のごとく登場したGSグループの中で、唯一、オリジナルメンバーで現役活動を続けるグループとなっている。

今からでもしたいことをする

さて、ザ・タイガースの他にも、年齢を重ね、解散から数十年経ってから再結成するバンドは多い。甲斐バンドは5回も再結成している。特に２００９年2月の4度目の解散から、同年7月の再結成までは5カ月しか空いておらず、本人たちも気まずかったようで、甲斐よしひろは記者会見を開き、

「自分自身が今年、デビュー35周年を迎えるということもあって、今秋からのソロライブで一緒にやれるメンバーの選定をしていたんです。ただ、去年の（甲斐バンドとしての）ツアー中、自分としてもすごく充実していて。だったら一番フィットしているのかなぁと。今後はお祝い事のたびに集まればいいし、もう解散とかそういうのはいいかな」

と語っている。このおおらかさは、まさに年齢のなせる技だろう。ファンにとっては毎回ヒヤヒヤものだろうが、なんとも微笑ましいコメントだ。

ザ・タイガースと少し似ているのが、ＪＵＮ ＳＫＹ ＷＡＬＫＥＲ（Ｓ）である。彼らは同じプロテスタントの中高私立一貫校で出会い、同じ寮で生活を送った。１９８０年代のバンドブームを牽引したが、１９９７年解散に至った。やはり、人間関係や音楽性のズ

レなど、さまざまな要因が絡んだうえでの解散だった。そして、10年後に再結成。彼らの場合は、ドラムの小林雅之が「幹事」となり、そのきっかけを作った。

近年では、1993年に解散し、再結成は難しいとされていた男闘呼組が活動を期間限定で再開し、話題になった。彼らのように「まさかこのバンドが再結成してくれるとは」というケースも多い。何十年経っても、ファンにとっては青春であることに変わりがなく、再びその姿が見られるのは、嬉しいばかりだ。

外国人のアーティストでも、メンバーの不仲で再編を繰り返し、初期メンバーの再集結は無理と思われたガンズ・アンド・ローゼズの再結成はドラマチックだった。中心メンバーの二人、アクセル・ローズとスラッシュの不仲は深刻で、確執は20年間も続いた。二人とも「再結成はない」とコメントし、絶望的であったにもかかわらず、2016年に同じステージに立つに至り、3年以上かけて158公演を駆け抜け、ファンを熱狂させた。

スラッシュが再結成の可能性について前向きな発言を出したのは2015年。スウェーデンのテレビ局「アフトンブラーデットTV」での言葉は印象的だ。

「(仲たがいが)多分、期限切れになったんだよ」

確執が、「時薬」で溶けていく。年を重ねることで昔わかりあえなかったことや食い違いが、理解できるようになる。そして、笑ってしまうような、いい思い出話になることもあるだろう。「あのとき、私たちは若かったね」というふうに。

ザ・タイガースのように、若い頃やらされていた、操られていたような気がしていたことが、年を取り、自分の力でリベンジができるのも大きいだろう。経験を積み、さまざまな方法を知り、自分たちが好きなように楽しめるのは格別の喜びだ。

加山雄三＆Ｔｈｅ Ｒｏｃｋ Ｃｈｉｐｐｅｒｓ（メンバーは谷村新司、南こうせつ、さだまさし、ＴＨＥ ＡＬＦＥＥ、森山良子）のように、別々に活動していたアーティストが新たなバンドを結成するケースもある。売れ筋など考えず、やりたい音楽をやりたいようにやる。シニアになったからこそ生まれる余裕は、大きな魅力となっている。

芸能界だけではない。一般でも２０１０年代頃から「オヤジバンド」が流行している。若い頃のメンバーが集まったり、新たに募集をかけたりし、全国区でコンテストも開かれるほどのブームとなった。ほかにも、２０２１年には、秋田県で日本初のｅスポーツシニアプロチームが発足。「孫にも一目置かれる存在」がキャッチコピーだ。

元気なシニアは、今「若い頃できなかったこと」「今からでもしたいこと」に挑戦し、仲間を見つけ、かなえている。そしてそれは、新たな生き甲斐を生み、健康的な第二の青春へとつながっていくのである。

「仲間」の定義の多様化

ザ・タイガースのような長年の仲間がいる人は、幸運に恵まれているといえるだろう。しかし、そうでなくとも、新たに趣味や共通の目的がある仲間を作れば、十分これからの幸せを作っていける。沢田研二のコンサートに行き、そこで情報交換をしたり、あるいは公演後に食事に行き、ファントークをする顔馴染みだって、すばらしい仲間だ。

私の知る70代のジュリーファンの交流を見ていると、心地よい距離感でうらやましいほどだ。コンサートに行ったら感想をラインで送りあう。コンサートが近づくと、お互いの健康状態を確認する。

「次のコンサートは行けそう？　会えるのを楽しみにしているわ」――。沢田研二と同世代、後期高齢者が多いファンにとって、コンサートで盛り上がるだけではなく、こういった声掛けもまた、人生の支えの一つになっている気がする。

家族や地域のつながりとはまた違う、このような趣味で支え合えるスタイルは、これからの時代のつながりとして、とても注目すべき点ではないだろうか。

近年では、シニア層の一人暮らし世帯が増加している。２０２０年の国勢調査によると、

65歳以上の人口は約3619万人、そのうち、施設などに入っていない一人暮らし世帯は約672万人もいるという。シニアだけではなく、独身者が急増している日本社会で、今後、家族や居住している地域で助け合う人間関係ばかりに頼っていては、生活が成り立たなくなっているのだ。

1981年、博報堂が「ひらけ、みらい。」をスローガンに設立した「生活総合研究所」では、2014年、用件によってわけてつながり、連絡する友人関係を「インフラ友達」と定義し、推奨している。ジム友、趣味友、同窓生仲間など、それぞれのシーンにおいてつながりを楽しみ、生活を向上させていく、というものだ。ネーミングが直接的すぎる気もするが、今の時代に必要な考え方なのはわかる。

また、コロナ禍による感染防止のための外出自粛要請で、人と会えない不安を経験したことへの反動で、シニア世代のコミュニケーションは回復を見せている。

内閣府による「第2回新型コロナウイルス感染症の影響下における生活意識・行動の変化による調査」（2020年）では、シニアの半数がパソコンやスマホを使い、ビデオ通話を利用したと回答している。SNSなどのデジタルデバイスも活用し「メールやSNSでやり取りする友人がいる」と答えている60代は、2年前と比べ増加している。閉塞的な生活を余儀なくされた期間が、これまで避けていたデジタルの利便性を知ることで、苦手意識を克服する機会となったのである。

長期間かけて理解を深めるのもいい。便利なツールを使い、程よく距離を取りながら軽やかにつながっていくのもいい。「仲間」という定義を自由に捉え、楽しく生きることができるように、人間関係をデザインする時代に来ている。

第4章でも触れたが、ザ・タイガースは2023年6月21日にサブスク配信を解禁している。1967年のデビュー・シングル『僕のマリー』から、『シーサイド・バウンド』『モナリザの微笑』『君だけに愛を』や『花の首飾り／銀河のロマンス』など、15枚のシングルと、カップリング曲を含む全30曲が配信開始となった。しかしやはりライブが最高。デビュー当時、「甘すぎて恥ずかしかった」というデビュー曲『僕のマリー』も、今の彼らが演奏しているのを聴くと、非常に美しく、しっとりと聴くことができる。

激し過ぎて息ができなかったような日々、若い頃に負った傷が、同じ経験をした者同士の絆になり、お互いを認め、再びともに過ごす時間を楽しめるようになる。そして、それが追い風になり、新たなムーブメントを作り出す。

人生100年時代とは、そんな奇跡やチャンスが増える時代。彼らを見ると、そう思えてくるのである。

エピローグ

なぜ、ジュリーは許されるのか

75歳になっても自分の意志を持ち、頑ななほどそれを曲げない沢田研二。

しかし、デビューから彼の活動を改めて追っていくと、実は「頑な」という表現とはまた違ったところにいる人なのではないか、と思えてきた。

ファンだけでなく、世の中が沢田研二に求め期待するイメージに柔軟に合わせながら、商業的な成功をしっかりと見つめ、「売れるスター」を意識した全盛期。１９９０年代後半からは、自分のやりたいことに集中すると宣言し、テレビ番組から距離を置いた。舞台や映画で俳優としてキャリアを築き、ライブでは新曲を歌うことにこだわり、時にはファン心理を無視したかのような言動に、批判も浴びることもあった。

それでも彼は歩みを止めず、ライブをし、新曲をコツコツ作り、今に至る。

その姿は「頑な」というよりも、「続ける」であった。激しい称賛と批判のなか、できることを探し、表現し続けてきた57年。現在もそのスタンスを継続しながら、好調さを維持し続けている。

そんなジュリーについて、ザ・タイガース時代からの盟友・岸部一徳は、こう表現していた。

「ジュリーに負けなかった、沢田研二」（前掲『沢田研二 華麗なる世界　永久保存必至！ヒット曲大全集』）

今や沢田研二のライブは、チケット争奪戦である。２０２３年９月から11月に行われた『沢田研二 ＬＩＶＥ２０２２-２０２３「まだまだ一生懸命 ＰＡＲＴⅡ」』も、２０２４年１月12日からスタートした全国ツアー『沢田研二正月ＬＩＶＥ２０２４「甲辰 静かなる岩」』も全公演ソールドアウト、高値の転売騒動がニュースになるほどであった。

デビュー以来、彼を応援し続けているファンの方が、今のジュリーが一番好きだと言いながら、「最近チケットが取りにくくなって。でも、ジュリーが注目されている証拠よね。嬉しいやら悲しいやら」と苦笑いしていた。

１９９０年代後半から２０００年代のはじめ頃、新曲の歌唱にこだわっていたライブのセットリストが、徐々に往年のヒット曲がバランスよく組み込まれるようになった。コロナ禍が過ぎてから、ライブでのＭＣでは、「生きててね」など、高齢ながら足を運び続けるファンたちをねぎらう言葉が増えている。

ライブを観たラッキーな人たちによると、歌唱力は相変わらず衰え知らず、その歌声を聴けば年齢など忘れてしまう迫力だという。世間的にも、２０１８年のドタキャン騒動のときについた「トラブル歌手」の烙印が今はもうほぼ消え、話題性だけではなく、アーティストとして再評価されている。

２０２３年11月23日、東京国際フォーラムで行われた「まだまだ一生懸命 ＰＡＲＴⅡ」

ファイナル公演をレポートしたオンライン記事では、ライブレポートとともに音楽評論家・スージー鈴木による、歌声の分析が記されていた。

「原曲のキーで数時間でも歌いきることのできる〝声の持久力〟を長い時間をかけて培われたんでしょう。柴山和彦さんのエレキギター1本だけがバックという超シンプル編成で回った2018年からの『OLD GUYS ROCK』ツアーで、さらに表現力を鍛えただろうことは間違いない」（朝日新聞出版『AERA. dot』2023年11月27日配信）

さらに、この記事をまとめた『週刊朝日』の渡辺薫編集長（当時）は沢田研二の魅力について、「どの時代も同調圧力に屈せず、己を貫き、支えてくれる仲間がいて、新たなファンも獲得する」と述べている。まさに、である。

そして、同調圧力に屈せず、己を貫く――。これは「頑固で融通が利かない」というイメージと表裏一体だ。自分というものを持つことは、時代や社会状況によって「己を貫く強い人」か「融通が利かない頑固者」か、世の中の評価は簡単にひっくり返る。それを意に介さず、自分のやるべきことをするのは本当に難しい。

沢田研二の活動を振り返ると、確かに同調圧力に屈せず、斬新なステージを見せてきた人だ。その一方で、今日のライブ中心の活動に移行するまでは、己を貫くというよりも、支えてくれるスタッフを全面的に信じ、己を捨て新たな表現を作り出す時期がとても長かった人のように思える。こんなにも素顔を見せることを許されてこなかった人はいないのではないか、と思うほど、制約だらけのなかで輝いていた。麗しいルックスによるイメージの定着。人気者ゆえ、大切に歌っている歌が、黄色い声援にかき消され届かないというジレンマ。時に度を超えた行動に出る人たちに毅然とした態度をとり、結局、それがときに批判の対象にもなった。

何度も誤解され、何度も炎上し、それでも音楽へのモチベーションは下げずに、半世紀余りが過ぎた。今は大衆を驚かせ、また喜ばせるために何かを作るのではなく、自分の音楽を追求し、結果、それを理解し、楽しみに待つファンだけが彼を応援している。

２０１８年のさいたまスーパーアリーナドタキャン騒動の際のファンの反応も、そう思えば、納得できるのである。

しかし、それだけならこの問題も、内輪受けで終わったはずだ。沢田研二が再びブームを巻き起こした理由は、むしろその後、75歳という高齢でありながら、揚げ足を取ろうとするマスコミ含め、興味半分・ひやかし半分にコンサートを見に行った人まで、「やっぱりジュリーはすごい」とうならせる実力を維持していたのが、何よりも大きい。

なぜ、ジュリーは許されるのか――。その問いを追うと、むしろ彼が持つカリスマ性より、言い訳をせず模索し、プロフェッショナルとして歩みを止めなかった地道さが見えてきた。ファンが離れてもまた戻り、数多ある炎上を越えてジュリーを応援するのは、「努力を続けることへの信頼」というシンプルな答えにたどり着くのである。

歌手として一生懸命、自分の主義を貫くのにも一生懸命、仲間とつながり続けるのも一生懸命、ひたすら努力を続ける。評価が上がろうが下がろうが自身に課したタスクをこなし、周りにしっかりと成果を見せる。

沢田研二自身はラジオ番組で、自分の「一生懸命」のありかたについてこう語っている。

「僕のいいところはね、出るところに出たら、一生懸命やんねや。一生懸命やることには自信がある。それがいいかどうかは別ですよ、ただ一生懸命やる。誰かに教わって、その通りにするのはできへんけど、自分なりの一生懸命やるってことはできるんだよね。(それが)人よりも一生懸命だとはどうしても思えない、もっと一生懸命やってる人はいるやろって。その一生懸命さの加減が良かったのかな、って思ったりもするんだよね。(ただ、それらは)結果論でしかないから。いろんな偶然が重なり合って呼んだと思うんですけどね」(前掲『今日は一日〝ジュリー〟三昧』)

こうして、自分なりの一生懸命を繰り返してきた彼のステージには今、若かりし頃、ライブ会場ではほとんど見なかった男性のファンの姿も多く見られる。もちろん、昔から応援し続けている女性ファンも、競争倍率が高くなったチケット争奪戦に参戦し、乙女に戻り、黄色い歓声をあげている。サブスクリプションや動画配信、親の影響などでファンになった若い世代も増え、老若男女が混在し客席を埋め、熱気を放っているのだ。

第4章でも記したが、沢田研二に限らず、彼と同世代、１９４７年〜１９４９年（現在73歳〜75歳）生まれの団塊の世代には、「アクティブシニア」と呼ばれるパワフルな人が多い。その名のごとく、自分で生活を成り立たせ、よく出かけ、仕事を持ち趣味を楽しむことに意欲的なシニア世代のことだ。これまでの経験から多くの知識やノウハウを有し、人生を謳歌する彼らは、働き盛りの若者とはまた違った形で日本を動かしていくと期待されている。

気になる健康面においても、もちろん体調管理に留意するのが大前提ではあるけれど、医療の発展などにより、健康寿命が年々伸び、２０１０年から２０１９年では、男性８・７３歳、女性12・０６歳若返っているとの研究成果も出ている（厚生労働省調査）。『還暦後の40年 データで読み解く、ほんとうの「これから」』（長澤光太郎編　平凡社）では、現在還暦の人たちが90歳になったときの体力は、おそらく今の70歳の人の体力と同じだろうと予測をしている。

一昔前までの「体力を失い、寂しく孤独で細々と隠居」というネガティブな老後のイメージを払拭した、パワフルな生き方が浸透しつつある。

時代とともに価値観は変わる。評価の基準も変わる。その中で、追い風になろうが向かい風になろうが、自分がやりたいことをやりたいように続けていく沢田研二。

もちろん、彼の生き方は特別で、そのまま参考にはならない。真似をすることもできないだろう。しかし、沈んでは浮き上がってくる彼の活躍と、彼を取り巻く熱気を見るだけでも、シニアになってからどうたくましく生きていくか、ポジティブにイメージを膨らませることはできる。

年を取ることは、ただ衰えを待つということではない。また、失われた時を悔やみ、懐古するのでもない。新たな目標を持つ時間、やり残したことに挑戦するチャンスだ。過去にあった事例にこだわり、社会状況に対してステレオタイプな評価や判断を下す時代は、もうとっくに過ぎているのである。

あとがき

　書きながら悩み、直し、書き、消し、ということを繰り返した約半年間。執筆中も、沢田研二さんの情報はどんどん更新されていった。『沢田研二 正月LIVE2024「甲辰 静かなる岩」』のツアー中だったこともあり、感想記事やブログはたくさんアップされ、それを読むだけでも胸が熱くなった。

　一時体調不良のニュースも流れたが、「瞳みのる&二十二世紀バンド」の結成10周年記念ライブではゲスト出演し、その歌声は絶賛されている。

　ステージに立つ沢田研二さんの存在は現在進行形で、多くの人たちを元気にしている。

　沢田研二さんを通して、1960年代後半から2023年という長い年月をさかのぼり、そして、もうすぐ訪れる、高齢者社会という未来を考えてきた。書きながら、いろんな人の顔が浮かんできた。私は母と一緒に暮らしているので、やはり、母の顔が一番浮かんできた。沢田研二さんより10近く年上だが、1年でも1カ月でも「明るい未来が続きますように」と切実に願っている。

実は第4章で「人生100年時代という言葉に、どこか抑圧を感じている人も多いだろう」と書いた通り、その「抑圧を感じている人」に私自身、しっかり入っていた。三桁の数字がとてつもなく長く感じたし、高齢化と検索すれば、ネガティブな情報が山のように顔を出す。それを読んで暗澹とした気分となっていた。大丈夫か、笑顔を守れるのか。大切な人たちの老後、そして私自身の老後——。

だからこそ今回、沢田研二さんをはじめ、70代を過ぎても現役で輝いている方のパワーを知り、本当に勇気をもらった。きっと、沢田研二さんの岩のような意志の強さとパフォーマンスから放たれるパワーは、現代に最も必要なものだ。そしてなにより、そのパワーは努力からきている。

また、執筆終盤の時期、宮藤官九郎脚本によるドラマ『不適切にもほどがある!』(TBS系列)が注目を浴びた。主人公が1986年から2024年にタイムスリップする、というもので、昭和と令和のコンプライアンスの差を比較したドラマだった。デリカシーがないほどはっきりものを言う昭和。すべてにおいて「炎上」を想定し、誰も傷つかないように言い方を工夫する令和。ドラマは、どちらが良いとか悪いとか正解を出すものではなかったけれど、「言いたいことをはっきり言える人、人の目を気にせずやりたいことをやる人」を世の中は欲している、ということをとても感じたのだ。

今回さまざまな資料を読み、「アクティブシニア」や「幸福のUカーブ」といった、高齢者の前向きな傾向を知ることができたのは大きかったが、なにより、沢田研二さんの「不安を払しょくする為に一心不乱になれる」という言葉が一番響いた。年齢を重ねることに不安を覚え、縮こまるより、言うことを言い、動こう、と思ったのである。

エンターテインメントのパワーは本当にすごい。

最後に、昭和・平成・令和という時代の流れについて、沢田研二さんについて、団塊の世代について、そして来るべき高齢化社会について、時代も話題もあちこち飛ぶ本書を、最後まで読んでくださって、本当にありがとうございました。

今回、たくさんジュリー愛を語ってくれたファンの方々、そして、私にいろんなことを教えてくださった、パワフルな人生の大先輩や友人たちに、感謝がほんの少しでも届きますように。

２０２４年４月５日　　田中 稲

主要参考文献

『ジュリーがいた　沢田研二、56年の光芒』島﨑今日子（文藝春秋）
『安井かずみがいた時代』島﨑今日子（集英社文庫）
『夢を食った男たち「スター誕生」と歌謡曲黄金の70年代』阿久悠（文春文庫）
『愛すべき名歌たち　私的歌謡曲史』阿久悠（岩波新書）
『阿久悠　命の詩～『月刊ｙｏｕ』とその時代～』阿久悠（講談社）
『おかしなおかしな大誘拐』阿久悠（集英社文庫）
『星をつくった男　阿久悠と、その時代』重松清（講談社文庫）
『阿久悠のいた時代　戦後歌謡曲史』篠田正浩・齋藤愼爾 編（柏書房）
『筒美京平　大ヒットメーカーの秘密』近田春夫（文春新書）
『グループサウンズ』近田春夫（文春新書）
『ザ・タイガース　世界はボクらを待っていた』磯前純一（集英社新書）
『沢田研二大研究』國府田公子（青弓社）
『ザ・ベストテン』山田修爾（新潮文庫）
『ロング・グッバイのあとで―ザ・タイガースでピーと呼ばれた男』瞳みのる（集英社）

『ザ・タイガースと呼ばれた男たち—ある団塊の世代の肖像』岸部シロー（あすか書房）
『一九七二 「はじまりのおわり」と「おわりのはじまり」』坪内祐三（文春学藝ライブラリー）
『還暦後の40年 データで読み解く、ほんとうの「これから」』長澤光太郎 編著（平凡社）
『団塊の世代とは何だったのか』由紀草一（洋泉社 新書y）
『１９８０年代』斎藤美奈子・成田龍一 編著（河出ブックス）
『昭和の青春 日本を動かした世代の原動力』池上彰（講談社現代新書）
『あの時代へホップ、ステップ、ジャンプ 戦後昭和クロニクル』朝日新聞出版 編著（朝日新聞出版）

ホームページ

沢田研二オフィシャルサイト http://www.co-colo.com
瞳みのるオフィシャルサイト「宇治川の先陣争い」
https://hitomiminoru.com/message/m_1604.html#m0928
日刊ゲンダイＤＩＧＩＴＡＬ お笑い界 偉人・奇人・変人伝「沢田研二・田中裕子夫妻に「売れへん夫婦漫才のおもろないネタ」を頼まれ、さらに指導まで」（本多正識）
https://www.nikkan-gendai.com/articles/view/geino/311736

スポーツ報知 コラムでＨｏ！「沢田研二、公演ドタキャン騒動への思いを語った公園での27分間の釈明会見」https://hochi.news/articles/20181221-OHT1T50090.html
シネマファクトリー「『幸福のスイッチ』安田真奈監督単独インタビュー」
https://www.cinema-factory.jp/2006/10/23/5025/
ＦＲａＵ「松たか子『本当の沢田研二さんは分からないまま…過ごした時間は夢のよう』」
https://gendai.media/articles/-/102394
ｏｔｏｃｏｔｏ予告編制作会社社長 池ノ辺直子の「映画は愛よ‼」「中江裕司監督が語る沢田研二のカリスマ性に驚き、土井善晴と〝人〟を表す料理を考えた『土を喰らう十二ヵ月』」https://otocoto.jp/interview/ikenobe197/
生活総合研究所 https://seikatsusoken.jp/
日経ビジネスオンライン「死を最も恐れているのは高齢者ではなく20代」（坂田亮太郎）
https://business.nikkei.com/atcl/interview/15/238739/022000277/
ＥＳＳＥ ＯＮ ＬＩＮＥ「ＶＲにハマる86歳プログラマー若宮正子さん。『高齢者こそデジタル化を』」https://esse-online.jp/articles/-/7314
ＡＥＲＡ．ｄｏｔ「『ジュリー』沢田研二75歳はなぜ今も最高のロックンロールスターなのか〝声の持久力〟に評論家は着目【千秋楽レポ】」

https://dot.asahi.com/articles/-/207378
スポニチアネックス　牧元一の孤人焦点「沢田研二『番組に絶対必要』の時代の輝き　ＢＳ－ＴＢＳの永久保存特番」
https://www.sponichi.co.jp/entertainment/news/2023/06/12/kiji/20230612s00041000209000c.html
リマインダー「沢田研二は１発ＯＫ！伊藤銀次の語る『ストリッパー』ロンドンレコーディング秘話」https://reminder.top/364288668/

【著者プロフィール】

田中 稲（たなか・いね）

1969年生まれ。大阪の編集プロダクション・オフィステイクオーに所属し、昭和歌謡・J-POP・ドラマ、世代研究を中心に執筆。執筆参加は『刑事ドラマ・ミステリーがよくわかる警察入門』（実業之日本社）ほか多数。著書に『そろそろ日本の全世代についてまとめておこうか。』（青月社）、『昭和歌謡 出る単 1008語　歌詞を愛して、情緒を感じて』（誠文堂新光社）がある。文春オンライン、8760bypostsevenほかネットメディアへの寄稿多数。現在CREA WEBにて「田中稲の勝手に再ブーム」を連載中。

なぜ、沢田研二は許されるのか

2024年6月8日　初版第1刷発行

著　者　田中 稲
発行者　岩野裕一
発行所　株式会社実業之日本社
〒107-0062 東京都港区南青山6-6-22　emergence 2
TEL　03-6809-0473（編集）／03-6809-0495（販売）
URL　https://www.j-n.co.jp/
印刷・製本　図書印刷株式会社

カバーデザイン　柿沼みさと
本文デザイン　プールグラフィックス　鈴木悦子
編集協力　山崎三郎
本文DTP　株式会社千秋社

ISBN978-4-408-65074-6（第二書籍）